P9-CDO-003

WITHDRAWN FROM
LORAS COLLEGE LIBRARY

L'ANNONCE
FAITE A MARIE

PAUL CLAUDEL

de l'Académie Française

L'ANNONCE
FAITE A MARIE

Édition augmentée
d'une variante pour la scène de l'Acte IV

nrf

GALLIMARD

WAHLERT MEMORIAL LIBRARY
LORAS COLLEGE
143936
AC. NO.
DUBUQUE, IOWA

*Tous droits de traduction, de reproduction et d'adaptation
réservés pour tous les pays, y compris l'U. R. S. S.*
© *1940 Éditions Gallimard.*

PERSONNAGES

ANNE VERCORS
JACQUES HURY
PIERRE DE CRAON

LA MÈRE
VIOLAINE
MARA

COMPARSES

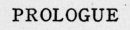

PROLOGUE

La grange de Combernon. C'est un vaste édifice aux piliers carrés, avec des charpentes en ogives qui viennent s'y appuyer. Tout est vide, sauf le fond de l'aile de droite qui est encore rempli de paille brins de paille par terre, le sol de terre battue. Au fond grande porte à deux battants ménagée dans le mur épais, avec un appareil compliqué de barres et de serrures. Sur les vantaux sont peintes les images barbares de saint Pierre et de saint Paul, l'un tenant les clefs, l'autre le glaive. Un gros cierge de cire jaune fixé au pilier sur une patte de fer les éclaire.

Tout le drame se passe à la fin d'un Moyen Age de convention, tel que les poètes du Moyen Age pouvaient se figurer l'antiquité.

Fin de la nuit et premières heures de la matinée.

Entre sur un gros cheval un homme vêtu d'un manteau noir avec une valise en croupe, PIERRE DE CRAON. Son ombre gigantesque et mouvante se dessine derrière lui sur le mur, le sol et les piliers.

VIOLAINE tout à coup sort au-devant de lui de derrière un pilier. Elle est grande et mince, les pieds nus, vêtue d'une robe de grosse laine, la tête coiffée d'un linge à la fois paysan et monastique.

VIOLAINE, *levant en riant vers le chevalier ses deux mains avec les index croisés.* — Halte, seigneur cavalier! Pied à terre!

PIERRE DE CRAON. — Violaine!

(Il descend de cheval)

VIOLAINE. — Tout beau, maître Pierre! Est-ce ainsi qu'on décampe de la maison comme un voleur sans saluer honnêtement les dames?

PIERRE DE CRAON. — Violaine, retirez-vous. Il fait nuit pleine encore et nous sommes seuls ici tous les deux.

Et vous savez que je ne suis pas un homme tellement sûr.

VIOLAINE. — Je n'ai pas peur de vous, maçon! N'est pas un mauvais homme qui veut!

On ne vient pas à bout de moi comme on veut!

Pauvre Pierre! Vous n'avez même pas réussi à me tuer.

Avec votre mauvais couteau! Rien qu'une petite coupure au bras dont personne ne s'est aperçu.

PIERRE DE CRAON. — Violaine, il faut me pardonner.

VIOLAINE. — C'est pour cela que je suis ici.

PIERRE DE CRAON. — Vous êtes la première femme que j'aie touchée. Le diable m'a saisi tout d'un coup, qui profite de l'occasion.

VIOLAINE. — Mais vous m'avez trouvée plus forte que lui!

PIERRE DE CRAON. — Violaine, je suis ici plus dangereux qu'alors.

VIOLAINE. — Allons-nous donc nous battre de nouveau?

PIERRE DE CRAON. — Ma seule présence par elle-même est funeste.

(Silence)

VIOLAINE. — Je ne vous entends pas.

PIERRE DE CRAON. — N'avais-je pas assez de pierres à assembler et de bois à joindre et de métaux à réduire?

Mon œuvre à moi, pour que tout d'un coup,

Je porte la main sur l'œuvre d'un autre et convoite une âme vivante avec impiété?

VIOLAINE. — Dans la maison de mon père et de votre hôte! Seigneur! qu'aurait-on dit si on l'avait su? Mais je vous ai bien caché.

Et chacun comme auparavant vous prend pour un homme sincère et irréprochable.

PIERRE DE CRAON. — Dieu juge le cœur sous l'apparence.

VIOLAINE. — Ceci restera donc à nous trois.

PIERRE DE CRAON. — Violaine!

VIOLAINE. — Maître Pierre?

PIERRE DE CRAON. — Mettez-vous là près de ce cierge que je vous regarde bien.

(Elle se place en souriant sous le cierge.
Il la regarde longuement)

VIOLAINE. — Vous m'avez bien regardée?

PIERRE DE CRAON. — Qui êtes-vous, jeune fille, et quelle est donc cette part que Dieu en vous s'est réservée,

Pour que la main qui vous touche avec désir et la chair même soit ainsi.

Flétrie, comme si elle avait approché le mystère de sa résidence?

VIOLAINE. — Que vous est-il donc arrivé depuis un an?

PIERRE DE CRAON. — Le lendemain même de ce jour que vous savez...

VIOLAINE. — Eh bien?

PIERRE DE CRAON. — ... J'ai reconnu à mon flanc le mal affreux.

VIOLAINE. — Le mal, dites-vous? Quel mal?

PIERRE DE CRAON. — La lèpre même dont il est parlé au livre de Moïse.

VIOLAINE. — Qu'est-ce que la lèpre?

PIERRE DE CRAON. — Ne vous a-t-on jamais parlé de cette femme autrefois qui vivait seule dans les roches du Géyn

Toute voilée du haut en bas et qui avait une cliquette à la main?

VIOLAINE. — C'est ce mal-là, maître Pierre?

PIERRE DE CRAON. — Il est de nature telle
Que celui qui l'a conçu dans toute sa malice
Doit être mis à part aussitôt,

Car il n'est homme vivant si peu gâté que la lèpre ne puisse y prendre.

VIOLAINE. — Comment donc restez-vous parmi nous en liberté?

PIERRE DE CRAON. — L'Évêque me l'a dispensé, et vous voyez que je suis rare et peu fréquent,

Sauf à mes ouvriers pour les ordres à donner, et mon mal est encore couvert et masqué.

Et qui sans moi mènerait à leurs noces ces naissantes églises dont Dieu m'a remis la charge?

VIOLAINE. — C'est pourquoi l'on ne vous a point vu cette fois à Combernon?

PIERRE DE CRAON. — Je ne pouvais m'exempter de revenir ici,

Car mon office est d'ouvrir le flanc de Monsanvierge

Et de fendre la paroi à chaque fois qu'un vol nouveau de colombes y veut entrer de l'Arche haute dont les guichets ne sont que vers le ciel seul ouverts!

Et cette fois nous amenions à l'autel une illustre hostie, un solennel encensoir,

La Reine elle-même, mère du Roi, montant en sa personne,

Pour son fils défait de son royaume.

Et maintenant je m'en retourne à Rheims.

VIOLAINE. — Faiseur de portes, laissez-moi vous ouvrir celle-ci.

PIERRE DE CRAON. — N'y avait-il à la ferme personne autre pour me rendre ce service?

VIOLAINE. — La servante aime à dormir et m'a remis les clefs sans peine.

PIERRE DE CRAON. — N'avez-vous pas crainte et horreur du lépreux?

VIOLAINE. — Dieu est là qui me sait garder.

PIERRE DE CRAON. — Donnez-moi donc la clef.

VIOLAINE. — Laissez-moi faire! Vous ne connaissez pas la manière de ces vieilles portes.

Eh bien! me prenez-vous pour une belle demoiselle

Dont les doigts effilés ne connaissent rien de plus rude que l'éperon du nouveau chevalier, léger comme un os d'oiseau, pour lui en armer le talon? Vous allez voir!

(Elle ouvre les deux serrures qui grincent et tire les verrous)

PIERRE DE CRAON. — Cette ferraille est fort rouillée.

VIOLAINE. — On ne passe plus par cette porte. Mais le chemin par là est plus court.

(Elle approche la barre avec effort)

J'ai ouvert la porte!

PIERRE DE CRAON. — Qui tiendrait contre un tel assaillant?

Quelle poussière! le vieux vantail dans toute sa hauteur craque et s'ébranle.

Les épeires noires fuient, les vieux nids croulent, Et tout enfin s'ouvre par le milieu.

(La porte s'ouvre. On voit par la baie la campagne couverte de prairies et de moissons dans la nuit)

VIOLAINE. — Cette petite pluie a fait du bien à tout le monde.

PIERRE DE CRAON. — La poussière du chemin sera couchée.

VIOLAINE, *à voix basse, affectueusement.* — Paix sur vous, Pierre!

> *(Silence. — Et tout soudain, sonore et clair et très haut dans le ciel, le premier coup de l'Angélus. — PIERRE ôte son chapeau et tous deux font le signe de la croix)*

VIOLAINE, *les mains jointes et la figure vers le ciel, d'une voix admirable limpide et pénétrante.* — Regina Caeli, laetare, alleluia!

> *(Second coup)*

PIERRE DE CRAON, *à voix sourde.* — *Quia quem meruisti portere, alleluia!*

> *(Troisième coup)*

VIOLAINE. — *Resurrexit sicut dixit, alleluia!*

PIERRE DE CRAON. — *Ora pro nobis Deum.*

> *(Pause)*

VIOLAINE. — *Gaude et laetare, Virgo Maria, alleluia!*

PIERRE DE CRAON. — *Quia resurrexit dominus vere, alleluia.*

> *(Volée de l'Angélus).*

PIERRE DE CRAON, *très bas.* — *Oremus. Deus qui per resurrectionem Fili tui Domini Nostri Jesu Christi mundus laeti ficare dignatus es,*

2

praesta, quaesumus, ut per ejus Genitricem Virginem Mariam perpetuae capiamus gaudia vitae. Per eumdem Dominum Nostrum Jesum Christum qui tecum vivit et regnat in unitate Spiritus Sancti Deus per omnia saecula saeculorum.

VIOLAINE. — *Amen.*

(Tous deux se signent)

PIERRE DE CRAON. — Comme l'Angélus sonne de bonne heure!

VIOLAINE. — On dit là-haut Matines en pleine nuit comme chez les Chartreux.

PIERRE DE CRAON. — Je serai ce soir à Rheims.

VIOLAINE. — Vous savez bien le chemin? Cette haie-ci d'abord.

Et puis cette maison basse dans le bosquet de sureaux sous lequel vous verrez cinq ou six ruches.

Et cent pas plus loin vous joignez la route Royale.

(Pause)

PIERRE DE CRAON. — *Pax tibi.*

Comme toute la création est avec Dieu dans un mystère profond!

Ce qui était caché redevient visible avec Lui et je sens sur mon visage un souffle d'une fraîcheur de rose.

Loue ton Dieu, terre bénite, dans les larmes et l'obscurité!

Le fruit est pour l'homme, mais la fleur est pour Dieu et la bonne odeur de tout ce qui naît.

Ainsi de la sainte âme cachée l'odeur comme de la feuille de menthe a décelé sa vertu.

Violaine qui m'avez ouvert la porte, adieu! je ne retournerai plus vers vous.

O jeune arbre de la science du Bien et du Mal, voici que je commence à me séparer parce que j'ai porté la main sur vous.

Et déjà mon âme et mon corps se divisent, comme le vin dans la cuve mêlé à la grappe meurtrie!

Qu'importe? je n'avais pas besoin de femme. Je n'ai point possédé de femme corruptible.

L'homme qui a préféré Dieu dans son cœur, quand il meurt, il voit cet Ange qui le gardait.

Le temps viendra bientôt qu'une autre porte se dissolve.

Quand celui qui a plu à peu de gens en cette vie s'endort, ayant fini de travailler, entre les bras de l'Oiseau éternel;

Quand déjà au travers des murs diaphanes de tous côtés apparaît le sombre Paradis.

Et que les encensoirs de la nuit se mêlent à l'odeur de la mèche infecte qui s'éteint!

VIOLAINE. — Pierre de Craon, je sais que vous n'attendez pas de moi des « Pauvre homme! » et de faux soupirs, et des « Pauvre Pierre ».

Car à celui qui souffre, les consolations d'un consolateur joyeux ne sont pas de grand prix, et son mal n'est pas pour nous ce qu'il est pour lui.

Souffrez avec Notre-Seigneur.

Mais sachez que votre action mauvaise est effacée

En tant qu'il est de moi, et je suis en paix avec vous,

Et que je ne vous méprise et abhorre point parce que vous êtes atteint et malade,

Mais je vous traiterai comme un homme sain et Pierre de Craon, notre vieil ami, que je révère, aime et crains.

Je vous le dis. C'est vrai.

PIERRE DE CRAON. — Merci, Violaine.

VIOLAINE. — Et maintenant j'ai à vous demander quelque chose.

PIERRE DE CRAON. — Parlez.

VIOLAINE. — Quelle est cette belle histoire que mon père nous a racontée? Quelle est cette « justice » que vous construisez à Rheims et qui sera plus belle que Saint-Rémy et Notre-Dame?

PIERRE DE CRAON. — C'est l'église que les métiers de Rheims m'ont donnée à construire sur l'emplacement de l'ancien Parc-aux-Ouilles,

Là où l'ancien Marc-de-l'Évêque a été brûlé cet antan.

Premièrement pour remercier Dieu de sept étés grasses dans la détresse de tout le Royaume,

Les grains et le fruit à force, la laine bon marché et belle,

Les draps et le parchemin bien vendus aux marchands de Paris et d'Allemagne.

Secondement pour les libertés acquises, les privilèges conférés par le Roi Notre Sire,

L'ancien mandat contre nous des évêques Félix II et Abondant de Cramail,

Rescindé par le Pape,

Le tout à force d'épée claire et des écus champenois.

Car telle est la république chrétienne, non point de crainte servile,

Mais que chacun ait son droit, selon qu'il est bon à l'établir, en diversité merveilleuse,

Afin que la charité soit remplie.

VIOLAINE. — Mais de quel Roi parlez-vous et de quel Pape? Car il y en a deux et l'on ne sait qui est le bon.

PIERRE DE CRAON. — Le bon est celui qui nous a fait du bien.

VIOLAINE. — Vous ne parlez pas comme il faut.

PIERRE DE CRAON. — Pardonnez-moi. Je ne suis qu'un ignorant.

VIOLAINE. — Et d'où vient ce nom qui est donné à la nouvelle paroisse?

PIERRE DE CRAON. — N'avez-vous jamais entendu parler de sainte Justice qui fut martyrisée du temps de l'Empereur Julien dans un champ d'anis?

(Ces graines que l'on met dans notre pain d'épices à la foire de Pâques.)

Essayant de détourner les eaux d'une source souterraine pour nos fondations,

Nous avons retrouvé son tombeau avec ce titre sur une dalle cassée en deux : JUSTITIA ANCILLA DOMINI IN PACE.

Le frêle petit crâne était fracassé comme une noix, c'était une enfant de huit ans,

Et quelques dents de lait tiennent encore à la mâchoire.

De quoi tout Rheims est dans l'admiration, et maints signes et miracles suivent le corps

Que nous avons placé en chapelle, attendant le terme de l'œuvre.

Mais nous avons laissé les petites dents comme une semence sous le grand bloc de base.

VIOLAINE. — Quelle belle histoire! Et le père nous disait aussi que toutes les dames de Rheims donnent leurs bijoux pour la construction de la Justice?

PIERRE DE CRAON. — Nous en avons un grand tas et beaucoup de Juifs autour comme mouches.

> (*VIOLAINE tient les yeux baissés, tournant avec hésitation un gros anneau d'or qu'elle porte au quatrième doigt*)

PIERRE DE CRAON. — Quel est cet anneau, Violaine?

VIOLAINE. — Un anneau que Jacques m'a donné.

> (*Silence*)

PIERRE DE CRAON. — Je vous félicite.

(Elle lui tend l'anneau)

VIOLAINE. — Ce n'est pas décidé encore. Mon père n'a rien dit.

Eh bien! c'est ce que je voulais vous dire.

Prenez mon bel anneau qui est tout ce que j'ai et Jacques me l'a donné en secret.

PIERRE DE CRAON. — Mais je ne le veux pas!

VIOLAINE. — Prenez-le vite, car je n'aurai plus la force de m'en détacher.

(Il prend l'anneau)

PIERRE DE CRAON. — Que dira votre fiancé?

VIOLAINE. — Ce n'est pas mon fiancé encore tout à fait.

L'anneau en moins ne change pas le cœur. Il me connaît. Il m'en donnera un autre en argent.

Celui-ci était trop beau pour moi.

PIERRE DE CRAON, *l'examinant*. — Il est d'or végétal, comme on savait les faire jadis avec un alliage de miel.

Il est facile comme la cire et rien ne peut le rompre.

VIOLAINE. — Jacques l'a trouvé dans la terre en labourant, dans un endroit où l'on ramasse parfois de vieilles épées toutes vertes et de jolis morceaux de verre.

J'avais crainte à porter cette chose païenne qui appartient aux morts.

PIERRE DE CRAON. — J'accepte cet or pur.

VIOLAINE. — Et baisez pour moi ma sœur Justice.

PIERRE DE CRAON, *la regardant soudain et comme frappé d'une idée.* — Est-ce tout ce que vous avez à me donner pour elle? un peu d'or retiré de votre doigt?

VIOLAINE. — Cela ne suffit-il pas à payer une petite pierre?

PIERRE DE CRAON. — Mais Justice est une grande pierre elle-même.

VIOLAINE, *riant.* — Je ne suis pas de la même carrière.

PIERRE DE CRAON. — Celle qu'il faut à la base n'est point celle qu'il faut pour le faîte.

VIOLAINE. — Une pierre, si j'en suis une, que ce soit cette pierre active qui moud le grain accouplée à la meule jumelle.

PIERRE DE CRAON. — Et Justitia aussi n'était qu'une humble petite fille près de sa mère Jusqu'à l'instant que Dieu l'appela à la confession.

VIOLAINE. — Mais personne ne me veut aucun mal! Faut-il que j'aille prêcher l'Évangile chez les Sarrasins?

PIERRE DE CRAON. — Ce n'est point à la pierre de choisir sa place, mais au Maître de l'œuvre qui l'a choisie.

VIOLAINE. — Loué donc soit Dieu qui m'a

donné la mienne tout de suite et je n'ai plus à la chercher. Et je ne lui en demande point d'autre.

Je suis Violaine, j'ai dix-huit ans, mon père s'appelle Anne Vercors, ma mère s'appelle Élisabeth,

Ma sœur s'appelle Mara, mon fiancé s'appelle Jacques. Voilà, c'est fini, il n'y a plus rien à savoir.

Tout est parfaitement clair, tout est réglé d'avance et je suis très contente.

Je suis libre, je n'ai à m'inquiéter de rien, c'est un autre qui me mène, le pauvre homme, et qui sait tout ce qu'il y a à faire!

Semeur de clochers, venez à Combernon! nous vous donnerons de la pierre et du bois, mais vous n'aurez pas la fille de la maison!

Et d'ailleurs, n'est-ce pas ici déjà maison de Dieu, terre de Dieu, service de Dieu?

Est-ce que notre charge n'est pas du seul Monsanvierge que nous avons à nourrir et garder, fournissant le pain, le vin et la cire,

Relevant de cette seule aire d'anges à demi déployés?

Ainsi comme les hauts Seigneurs ont leur colombier, nous avons le nôtre aussi, reconnaissable au loin.

PIERRE DE CRAON. — Jadis passant dans la forêt de Fismes j'ai entendu deux beaux chênes qui parlaient entre eux,

Louant Dieu qui les avait faits inébranlables à la place où ils étaient nés.

Maintenant, à la proue d'une drome, l'un fait la guerre aux Turcs sur la mer Océane,

L'autre, coupé par mes soins, au travers de la Tour de Laon,

Soutient Jehanne la bonne cloche dont la voix s'entend à dix lieues.

Jeune fille, dans mon métier, on n'a pas les yeux dans sa poche. Je reconnais la bonne pierre sous les genévriers et le bon bois comme un maître pivert :

Tout de même les hommes et les femmes.

VIOLAINE. — Mais pas les jeunes filles, maître Pierre! Ça, c'est trop fin pour vous.

Et d'abord il n'y a rien à connaître du tout.

PIERRE DE CRAON, à demi-voix. — Vous l'aimez bien, Violaine?

VIOLAINE, les yeux baissés. — C'est un grand mystère entre nous deux.

PIERRE DE CRAON. — Bénie sois-tu dans ton chaste cœur!

La sainteté n'est pas d'aller se faire lapider chez les Turcs ou de baiser un lépreux sur la bouche,

Mais de faire le commandement de Dieu aussitôt Qu'il soit

De rester à notre place, ou de monter plus haut.

VIOLAINE. — Ah! que ce monde est beau et que je suis heureuse!

PIERRE DE CRAON, à demi-voix. — Ah! que ce monde est beau et que je suis malheureux!

VIOLAINE, *levant le doigt vers le ciel*. — Homme de la ville, écoutez!

(Pause)

Entendez-vous tout là-haut cette petite âme qui chante?

PIERRE DE CRAON. — C'est l'alouette!

VIOLAINE. — C'est l'alouette, *alleluia!* L'alouette de la terre chrétienne, *alleluia, alleluia!*

L'entendez-vous qui crie quatre fois de suite hi! hi! hi! hi! plus haut, plus haute!

La voyez-vous, les ailes étendues, la petite croix véhémente, comme les séraphins qui ne sont qu'ailes sans aucuns pieds et une voix perçante devant le trône de Dieu?

PIERRE DE CRAON. — Je l'entends.

Et c'est ainsi qu'une fois je l'ai entendue à l'aurore, le jour que nous avons dédié ma fille, Notre-Dame de la Couture,

Et il lui brillait un peu d'or, à la pointe extrême de cette grande chose que j'avais faite, comme une étoile neuve!

VIOLAINE. — Pierre de Craon, si vous aviez fait de moi à votre volonté.

Est-ce que vous en seriez plus joyeux, maintenant, ou est-ce que j'en serais plus belle?

PIERRE DE CRAON. — Non, Violaine.

VIOLAINE. — Et est-ce que je serais encore cette même Violaine que vous aimiez?

PIERRE DE CRAON. — Non pas elle, mais une autre.

27

VIOLAINE. — Et lequel vaut mieux, Pierre? Que je vous partage ma joie, ou que je partage votre douleur?

PIERRE DE CRAON. — Chante au plus haut du ciel, alouette de France!

VIOLAINE. — Pardonnez-moi parce que je suis trop heureuse! parce que celui que j'aime

M'aime, et je suis sûre de lui, et je sais qu'il m'aime, et tout est égal entre nous!

Et parce que Dieu m'a faite pour être heureuse et non point pour le mal et aucune peine.

PIERRE DE CRAON. — Va au ciel d'un seul trait!

Quant à moi, pour monter un peu, il me faut tout l'ouvrage d'une cathédrale et ses profondes fondations.

VIOLAINE. — Et dites-moi que vous pardonnez à Jacques parce qu'il va m'épouser.

PIERRE DE CRAON. — Non, je ne lui pardonne pas.

VIOLAINE. — La haine ne vous fait pas de bien, Pierre, et elle me fait du chagrin.

PIERRE DE CRAON. — C'est vous qui me faites parler. Pourquoi me forcer à montrer l'affreuse plaie qu'on ne voit pas?

Laissez-moi partir et ne m'en demandez pas davantage. Nous ne nous reverrons plus.

Tout de même j'emporte son anneau!

VIOLAINE. — Laissez votre haine à la place et je vous la rendrai quand vous en aurez besoin.

PIERRE DE CRAON. — Mais aussi, Violaine, je suis bien malheureux!

Il est dur d'être un lépreux et de porter avec soi la plaie infâme et de savoir que l'on ne guérira pas et que rien n'y fait,

Mais que chaque jour elle gagne et pénètre, et d'être seul et de supporter son propre poison, et de se sentir tout vivant corrompre!

Et non point, la mort, seulement une fois et dix fois la savourer, mais sans en rien perdre jusqu'au bout l'affreuse alchimie de la tombe!

C'est vous qui m'avez fait ce mal par votre beauté, car avant de vous voir j'étais pur et joyeux,

Le cœur à mon seul travail et idée sous l'ordre d'un autre.

Et maintenant que c'est moi qui commande à mon tour et de qui l'on prend le dessin,

Voici que vous vous tournez vers moi avec ce sourire plein de poison!

VIOLAINE. — Le poison n'était pas en moi, Pierre!

PIERRE DE CRAON. — Je le hais, il était en moi, et il y est toujours et cette chair malade n'a pas guéri l'âme atteinte!

O petite âme, est-ce qu'il était possible que je vous visse sans que je vous aimasse?

VIOLAINE. — Et certes vous avez montré que vous m'aimiez!

PIERRE DE CRAON. — Est-ce ma faute si le fruit tient à la branche?

Et quel est celui qui aime qui ne veut avoir tout de ce qu'il aime?

VIOLAINE. — Et c'est pourquoi vous avez essayé de me détruire?

PIERRE DE CRAON. — L'homme outragé aussi a ses ténèbres comme la femme.

VIOLAINE. — En quoi vous ai-je manqué?

PIERRE DE CRAON. — O image de la Beauté éternelle, tu n'es pas à moi!

VIOLAINE. — Je ne suis pas une image! Ce n'est pas une manière de dire les choses!

PIERRE DE CRAON. — Un autre prend en vous ce qui était à moi.

VIOLAINE. — Il reste l'image.

PIERRE DE CRAON. — Un autre me prend Violaine et me laisse cette chair atteinte et esprit dévoré!

VIOLAINE. — Soyez un homme, Pierre! Soyez digne de la flamme qui vous consume!

Et s'il faut être dévoré que ce soit sur un candélabre d'or comme le Cierge Pascal en plein chœur pour la gloire de toute l'Église!

PIERRE DE CRAON. — Tant de faîtes sublimes! Ne verrai-je jamais celui de ma petite maison dans les arbres?

Tant de clochers dont l'ombre en tournant écrit l'heure sur toute une ville! Ne ferai-je jamais le dessin d'un four et de la chambre des enfants?

VIOLAINE. — Il ne fallait pas que je prisse pour moi seule ce qui est à tous.

PIERRE DE CRAON. — Quand sera la noce, Violaine?

VIOLAINE. — A la Saint-Michel, je suppose, lorsque la moisson est finie.

PIERRE DE CRAON. — Ce jour-là, quand les cloches de Monsanvierge se seront tues, prêtez l'oreille et vous m'entendrez bien loin de Rheims répondre.

VIOLAINE. — Qui prend soin de vous là-bas?

PIERRE DE CRAON. — J'ai toujours vécu comme un ouvrier; une botte de paille me suffit entre deux pierres, un habit de cuir, un peu de lard sur du pain.

VIOLAINE. — Pauvre Pierre!

PIERRE DE CRAON. — Ce n'est pas de cela qu'il faut me plaindre; nous sommes à part.

Je ne vis pas de plain-pied avec les autres hommes, toujours sous terre avec les fondations ou dans le ciel avec le clocher.

VIOLAINE. — Eh bien! Nous n'aurions pas fait ménage ensemble! Je ne puis monter au grenier sans que la tête me tourne.

PIERRE DE CRAON. — Cette église seule sera ma femme qui va être tirée de mon côté comme une Ève de pierre, dans le sommeil de la douleur.

Puissé-je bientôt sous moi sentir s'élever mon vaste ouvrage, poser la main sur cette chose indestructible que j'ai faite et qui tient ensemble dans toutes ses parties, cette œuvre bien fermée que j'ai construite de pierre forte afin que le principe y commence, mon œuvre que Dieu habite!

Je ne descendrai plus! C'est moi qu'à cent pieds au-dessous, sur le pavé quadrillé, un paquet de jeunes filles enlacées désigne d'un doigt aigu!

VIOLAINE. — Il faut descendre. Qui sait si je n'aurai pas besoin de vous un jour?

PIERRE DE CRAON. — Adieu, Violaine, mon âme, je ne vous verrai plus!

VIOLAINE. — Qui sait si vous ne me verrez plus?

PIERRE DE CRAON. — Adieu, Violaine!

Que de choses j'ai faites déjà! Quelles choses il me reste à faire et suscitation de demeures!

De l'ombre avec Dieu.

Non point les heures de l'Office dans un livre, mais les vraies, avec une cathédrale dont le soleil successif fait de toutes les parties lumière et ombre!

J'emporte votre anneau.

Et de ce petit cercle je vais faire une semence d'or!

« Dieu a fait séjourner le déluge » comme il est dit au psaume du baptême,

Et moi entre les parois de la Justice je contiendrai l'or du matin!

La lumière profane change mais non point celle que je décanterai sous ces voûtes,

Pareille à celle de l'âme humaine pour que l'hostie réside au milieu,

L'âme de Violaine, mon enfant, en qui mon cœur se complaît.

Il y a des églises qui sont comme des gouffres, et d'autres qui sont comme des fournaises,

Et d'autres si juste combinées, et de tel art tendues, qu'il semble que tout sonne sous l'ongle.

Mais celle que je vais faire sera sous sa propre ombre comme celle de l'or condensé et comme une pyxide pleine de manne!

VIOLAINE. — O maître Pierre, le beau vitrail que vous avez donné aux moines de Chinchy.

PIERRE DE CRAON. — Le verre n'est pas de mon art, bien que j'y entende quelque chose.

Mais avant le verre, l'architecte, par la disposition qu'il sait,

Construit l'appareil de pierre comme un filtre dans les eaux de la Lumière de Dieu,

Et donne à tout l'édifice son orient comme à une perle.

(MARA VERCORS est entrée et les observe sans qu'ils la voient)

— Et maintenant adieu! Le soleil est levé, je devrais déjà être loin.

VIOLAINE. — Adieu, Pierre!

PIERRE DE CRAON. — Adieu, Violaine!

VIOLAINE. — Pauvre Pierre!

(Elle le regarde, les yeux pleins de larmes, hésite et lui tend la main. Il la saisit et pendant qu'il la tient dans les siennes elle se penche et le baise sur le visage.

MARA fait un geste de surprise et sort.

PIERRE DE CRAON et VIOLAINE sortent, chacun de leur côté.)

ACTE PREMIER

Anne Vercors (le Christ)
    a décidé de partir.
Il laisse tout à sa famille
    (à l'église)
Et demandent à être de
    demeurer prêt pendant
pour son retour

SCÈNE PREMIÈRE

Avant le départ d'Anne

La cuisine de Combernon, vaste pièce avec une grande cheminée à hotte armoriée, une longue table au milieu et tous les ustensiles, comme dans un tableau de Breughel. LA MÈRE, devant la cheminée, s'efforce de ranimer les braises. ANNE VERCORS, debout, la considère. C'est un homme grand et vigoureux de soixante ans, avec une grande barbe blonde qui est mêlée de beaucoup de blanc.

LA MÈRE, *sans se retourner.* — Pourquoi me regardes-tu ainsi?

ANNE VERCORS. *(Il pense.)* — La fin, déjà! C'est comme un livre d'images quand on va tourner la dernière.

« Après la nuit, la femme ayant ranimé le feu domestique... », et l'histoire humble et touchante finit.

C'est comme si je n'étais plus, déjà, ici. Devant mes yeux, la voilà déjà comme si c'était en souvenir.

(Tout haut)

O femme! voici depuis que nous nous sommes épousés

Avec l'anneau qui a la forme de Oui, un mois,
Un mois dont chaque jour est une année.
Et longtemps tu m'es demeurée vaine
Comme un arbre qui ne produit que de l'ombre.
Et un jour nous nous sommes
Considérés dans le milieu de notre vie,
Élisabeth! et j'ai vu les premières rides sur ton
front et autour de tes yeux.
Et, comme le jour de notre mariage,
Nous nous sommes étreints et pris, non plus
dans l'allégresse,
Mais dans la tendresse et dans la compassion et
la pitié de notre foi mutuelle.
Et voici entre nous l'enfant et l'honnêteté
De ce doux narcisse, Violaine.
Et puis, la seconde nous naît
Mara la noire. Une autre fille et ce n'était pas
un garçon.

(Pause)

Allons, maintenant, dis ce que tu as à dire, car
je sais quand c'est
Que tu te mets à parler sans vous regarder, disant quelque chose et rien. Voyons!

LA MÈRE. — Tu sais bien que l'on ne peut rien
te dire. Mais tu n'es jamais là, mais il faut que je
t'attrape pour te remettre un bouton.
Mais tu ne nous écoutes pas, mais comme un
chien de garde tu guettes,
Attentif aux bruits de la porte.
Mais les hommes ne comprennent rien.

ANNE VERCORS. — Voici que les petites filles
sont grandes.

LA MÈRE. — Elles? Non.

ANNE VERCORS. — A qui allons-nous marier
ça?

LA MÈRE. — Les marier, Anne, dis-tu? Nous
avons le temps d'y penser.

ANNE VERCORS. — O fausseté de femme! Dis!
Quand penses-tu une chose
Que tu ne nous dises d'abord le contraire, mali-
gnité! Je te connais.

LA MÈRE. — Je ne dirai plus rien.

ANNE VERCORS. — Jacques Hury.

LA MÈRE. — Eh bien?

ANNE VERCORS. — Voilà. Je lui donnerai
Violaine.

Et il sera à la place du garçon que je n'ai pas
eu. C'est un homme droit et courageux.

Je le connais depuis qu'il est un petit gars et
que sa mère nous l'a donné. C'est moi qui lui ai
tout appris,

Les graines, les bêtes, les gens, les armes, les
outils, les voisins, les supérieurs, la coutume —
Dieu —

Le temps qu'il fait, l'habitude de ce terroir an-
tique,

La manière de réfléchir avant que de parler.

Je l'ai vu devenir homme pendant qu'il me
regardait, et la barbe lui pousser autour de sa
bonne figure,

Comme voilà qu'elle est maintenant, toute droite et par pinceaux comme des épis d'orge.

Et il n'était point de ceux qui contredisent, mais qui réfléchissent, comme une terre qui accepte toutes les graines.

Et ce qui est faux, ne prenant aucunes racines, cela meurt;

Et ainsi pour ce qui est vrai on ne peut dire qu'il y croit, mais cela croît en lui, ayant trouvé nourriture.

LA MÈRE. — Que sais-tu s'ils s'aiment?

ANNE VERCORS. — Violaine
Fera ce que je lui aurai dit.
Et pour lui, je sais qu'il l'aime et tu le sais aussi.
Cependant le sot n'ose rien me dire. Mais je la lui donnerai s'il veut. Cela sera ainsi.

LA MÈRE. — Oui.
Sans doute que cela va bien ainsi.

ANNE VERCORS. — N'as-tu rien de plus à dire?

LA MÈRE. — Quoi donc?

ANNE VERCORS. — Eh bien! je m'en vais le chercher.

LA MÈRE. — Comment, le chercher? Anne!

ANNE VERCORS. — Je veux que tout soit réglé incontinent. Je te dirai tout à l'heure pourquoi.

LA MÈRE. — Qu'as-tu à me dire? — Anne écoute-moi un peu... Je crains...

ANNE VERCORS. — Eh bien?

LA MÈRE. — Mara
Couchait dans ma chambre cet hiver, pendant que tu étais malade, et nous causions le soir dans nos lits.

Bien sûr que c'est un brave garçon et je l'aime comme mon enfant, presque.

Il n'a pas de bien, c'est vrai, mais c'est un bon laboureur, et il est de bonne famille.

Nous pourrions leur donner
Notre cens des Demi-Muids avec les terres du bas qui sont trop loin pour nous. — Je voulais te parler de lui aussi.

ANNE VERCORS. — Eh bien?

LA MÈRE. — Eh bien! rien.
Sans doute que Violaine est l'aînée.

ANNE VERCORS. — Allons, après?

LA MÈRE. — Après? que sais-tu pour sûr s'il l'aime? — Notre compère, maître Pierre,
(Pourquoi est-il resté à l'écart cette fois-ci sans voir personne?)
Tu l'as vu l'an dernier quand il est venu.

Et de quel air il la regardait pendant qu'elle nous servait. — Certainement il n'a pas de terre, mais il gagne bien de l'argent.

— Et elle, pendant qu'il parlait,
Comme elle l'écoutait, les yeux tout grands comme une innocente,

Oubliant de verser à boire, en sorte que j'ai dû me mettre en colère!

— Et Mara, tu la connais! Tu sais comme elle est butée!

Si elle a idée, donc,

Qu'elle épouse Jacques, — hé là! elle est dure comme le fer.

Moi, je ne sais pas! Peut-être qu'il vaudrait mieux...

ANNE VERCORS. — Qu'est-ce que ces bêtises?

LA MÈRE. — C'est bien! c'est bien! On peut causer comme ça. Il ne faut pas se fâcher.

ANNE VERCORS. — Je le veux.
Jacques épousera Violaine.

LA MÈRE. — Eh bien! il l'épousera donc.

ANNE VERCORS. — Et maintenant, pauvre maman, j'ai autre chose à te dire, la vieille! Je pars!

LA MÈRE. — Tu pars? tu pars, vieil homme? Qu'est-ce que tu dis là?

ANNE VERCORS. — C'est pourquoi il faut que Jacques épouse Violaine sans tarder et qu'il soit l'homme ici à ma place.

LA MÈRE. — Seigneur! tu pars? c'est pour de bon? Et où c'est que tu vas?

ANNE VERCORS, *montrant vaguement le midi.* — Là-bas.

LA MÈRE. — A Château?

ANNE VERCORS. — Plus loin que Château.

LA MÈRE, *baissant la voix*. — A Bourges, chez l'autre Roi?

ANNE VERCORS. — Chez le Roi des Rois, à Jérusalem.

LA MÈRE. — Seigneur!

(Elle s'assied)

C'est-il que la France n'est plus assez bonne pour toi?

ANNE VERCORS. — Il y a trop de peine en France.

LA MÈRE. — Mais nous sommes ici bien à l'aise et personne ne touche à Rheims.

ANNE VERCORS. — C'est cela.

LA MÈRE. — C'est cela quoi?

ANNE VERCORS. — C'est cela, nous sommes trop heureux.

Et les autres pas assez.

LA MÈRE. — Anne, ce n'est pas de notre faute.

ANNE VERCORS. — Ce n'est pas de la leur non plus.

LA MÈRE. — Je ne sais pas. Je sais que tu es là et que j'ai deux enfants.

ANNE VERCORS. — Mais tu vois au moins que tout est ému et dérangé de sa place, et chacun recherche éperdument où elle est.

Et ces fumées que l'on voit parfois au loin, ce n'est pas de la vaine paille qui brûle.

Et ces grandes bandes de pauvres qui nous arrivent de tous les côtés.

Il n'y a plus de Roi sur la France, selon qu'il a été prédit par le Prophète[1].

LA MÈRE. — C'est ce que tu nous lisais l'autre jour?

ANNE VERCORS. — A la place du Roi nous avons deux enfants.

L'un, l'Anglais, dans son île

Et l'autre, si petit qu'on ne le voit plus, entre les roseaux de la Loire.

A la place du Pape, nous en avons trois et à la place de Rome, je ne sais quel concile en Suisse.

Tout entre en lutte et en mouvement,

N'étant plus maintenu par le poids supérieur.

LA MÈRE. — Et toi aussi, où veux-tu t'en aller?

ANNE VERCORS. — Je ne puis plus tenir ici.

LA MÈRE. — Anne, t'ai-je fait aucune peine?

ANNE VERCORS. — Non, mon Élisabeth.

LA MÈRE. — Voici que tu m'abandonnes dans ma vieillesse.

---

1. « Voici que le Seigneur ôtera de Jérusalem et de Juda l'homme fort et valide, toute-puissance du pain et toute celle de l'eau, le fort et l'homme de guerre, et le prophète, et le divinateur, et le vieillard; le prince au-dessus de cinquante ans et toute personne honorable; et le sage architecte et l'expert du langage mystique. Et je leur donnerai des enfants pour princes et des efféminés seront leurs maîtres. » (Is.)

ANNE VERCORS. — Toi-même, donne-moi congé.

LA MÈRE. — Tu ne m'aimes plus et tu n'es plus heureux avec moi.

ANNE VERCORS. — Je suis las d'être heureux.

LA MÈRE. — Ne méprise point le don que Dieu accorde.

ANNE VERCORS. — Dieu soit loué qui m'a comblé de ses bienfaits!

Voici trente ans que je tiens ce fief sacré de mon père et que Dieu pleut sur mes sillons.

Et depuis dix ans il n'est pas une heure de mon travail

Qu'il n'ait quatre fois payée et une fois encore,

Comme s'il ne voulait pas rester en balance avec moi et laisser ouvert aucun compte.

Tout périt et je suis épargné.

En sorte que je paraîtrai devant lui vide et sans titre, entre ceux qui ont reçu leur récompense.

LA MÈRE. — C'est assez que d'un cœur reconnaissant.

ANNE VERCORS. — Mais moi je ne suis pas rassasié de ses biens,

Et parce que j'ai reçu ceux-ci, pourquoi laisserais-je à d'autres les plus grands?

LA MÈRE. — Je ne t'entends pas.

ANNE VERCORS. — Lequel reçoit davantage, le vase plein, ou vide?

Et laquelle a besoin de plus d'eau, la citerne ou la source?

LA MÈRE. — La nôtre est presque tarie par ce grand été.

ANNE VERCORS. — Tel a été le mal du monde, que chacun a voulu jouir de ses biens, comme s'ils avaient été créés pour lui,

Et non point comme s'il les avait reçus de Dieu en commande,

Le Seigneur de son fief, le père de ses enfants,

Le Roi de son Royaume et le clerc de sa dignité.

C'est pourquoi Dieu a fait passer de lui toutes ces choses qui passent,

Et il a envoyé à chaque homme la libération et le jeûne.

Et ce qui est la part des autres, pourquoi non pas la mienne?

LA MÈRE. — Tu as ton devoir avec nous.

ANNE VERCORS. — Non pas si tu m'en délies.

LA MÈRE. — Je ne t'en délierai pas.

ANNE VERCORS. — Tu vois que la part que j'avais à faire est faite.

Les deux enfants sont élevés, Jacques est là qui prend ma place.

LA MÈRE. — Qui t'appelle loin de nous?

ANNE VERCORS, *souriant*. — Un ange sonnant de la trompette.

LA MÈRE. — Quelle trompette?

ANNE VERCORS. — La trompette sans aucun son que tous entendent.

La trompette qui cite tous les hommes de temps en temps afin que les parts soient redistribuées.

Celle de Josaphat, avant qu'elle n'ait fait bruit.

Celle de Bethléem, quand Auguste comptait la terre.

Celle de l'Assomption, quand les apôtres furent convoqués.

La voix qui remplace le Verbe, quand le chef ne se fait plus entendre.

Au corps qui cherche son unité.

LA MÈRE. — Jérusalem est si loin!

ANNE VERCORS. — Le paradis l'est davantage.

LA MÈRE. — Dieu au tabernacle est avec nous ici même.

ANNE VERCORS. — Mais non point ce grand trou dans la terre!

LA MÈRE. — Quel trou?

ANNE VERCORS. — Qu'y fit la Croix lorsqu'elle fut plantée.

La voici qui tire tout à elle.

Là est le point qui ne peut être défait, le nœud qui ne peut être dissous,

Le patrimoine commun, la borne intérieure qui ne peut être arrachée,

Le centre et l'ombilic de la terre, le milieu de l'humanité en qui tout tient ensemble.

LA MÈRE. — Que peut un seul pèlerin?

ANNE VERCORS. — Je ne suis pas seul! C'est un grand peuple qui se réjouit et qui part avec moi!

Le peuple de tous mes morts avec moi,

Ces âmes l'une sur l'autre dont il ne reste plus que la pierre, toutes ces pierres baptisées avec moi qui réclament leur assise!

Et puisqu'il est vrai que le chrétien n'est pas seul, mais qu'il communique à tous ses frères,

C'est tout le royaume avec moi qui appelle et tire au Siège de Dieu et qui reprend sens et direction vers lui

Et dont je suis le député et que j'emporte avec moi pour

L'étendre de nouveau sur l'éternel patron.

LA MÈRE. — Qui sait si nous n'aurons pas nécessité de toi ici?

ANNE VERCORS. — Qui sait si l'on n'a pas nécessité de moi ailleurs?

Tout est en branle, qui sait si je ne gêne pas l'ordre de Dieu en restant à cette place

Où le besoin qui était de moi a cessé?

LA MÈRE. — Je sais que tu es un homme inflexible.

ANNE VERCORS, *tendrement, changeant de voix*. — Tu es toujours jeune et belle pour moi et l'amour que j'ai pour ma douce Élisabeth aux cheveux noirs est grand.

LA MÈRE. — Mes cheveux sont gris!

ANNE VERCORS. — Dis oui, Élisabeth...

LA MÈRE. — Anne, tu ne m'as pas quittée pendant ces trente années. Qu'est-ce que je vais devenir sans mon chef et mon compagnon?

ANNE VERCORS. —... Le oui qui nous sépare, à cette heure, bien bas,

Aussi plein que celui qui nous a fait jadis un seul.

(Silence)

LA MÈRE, *tout bas*. — Oui, Anne.

ANNE VERCORS. — Patience, Zabillet! Bientôt je serai revenu.

Ne peux-tu avoir foi en moi un peu de temps, sans que je sois ici?

Bientôt vient une autre séparation.

— Allons, mets-moi le repas de deux jours dans un sac. Il faut partir.

LA MÈRE. — Eh quoi! aujourd'hui, aujourd'hui même?

ANNE VERCORS. — Aujourd'hui même.

(Elle penche la tête et demeure immobile. Il la serre dans ses bras sans qu'elle fasse un mouvement)

Adieu, Élisabeth!

LA MÈRE. — Hélas, vieil homme, je ne te verrai plus.

ANNE VERCORS. — Et maintenant je vais chercher Jacques.

Mara. la noël

SCÈNE II

(Entre MARA)

MARA, *à LA MÈRE*. — Va, et dis-lui qu'elle ne l'épouse pas.

LA MÈRE. — Mara! Comment, tu étais là?

MARA. — Va-t'en, je te dis, lui dire qu'elle ne l'épouse pas!

LA MÈRE. — Qui, elle? qui, lui? que sais-tu si elle l'épouse?

MARA. — J'étais là. J'ai tout entendu.

LA MÈRE. — Eh bien, ma fille! c'est ton père qui le veut.
Tu as vu que j'ai fait ce que j'ai pu et on ne le fait pas changer d'idée.

MARA. — Va-t'en lui dire qu'elle ne l'épouse pas, ou je me tuerai!

LA MÈRE. — Mara!

MARA. — Je me pendrai dans le bûcher,
Là où l'on a trouvé le chat pendu.

LA MÈRE. — Mara! méchante!

MARA. — Voilà encore qu'elle vient me le prendre!

Voilà qu'elle vient me le prendre à cette heure!
C'est moi
Qui devais toujours être sa femme, et non pas
elle.
Elle sait très bien que c'est moi.

LA MÈRE. — Elle est l'aînée.

MARA. — Qu'est-ce que cela fait?

LA MÈRE. — C'est ton père qui le veut.

MARA. — Cela m'est égal.

LA MÈRE. — Jacques Hury
L'aime.

MARA. — Ça n'est pas vrai! Je sais bien que
vous ne m'aimez pas!
Vous l'avez toujours préférée! Oh, quand vous
parlez de votre Violaine, c'est du sucre,
C'est comme une cerise qu'on suce, au moment
que l'on va cracher le noyau!
Mais Mara l'agache! Elle est dure comme le fer,
elle est aigre comme la cesse!
Avec cela, qu'elle est déjà si belle, votre Violaine!
Et voilà qu'elle va avoir Combernon à cette
heure!
Qu'est-ce qu'elle sait faire, la gnolle? qui est-ce
de nous deux qui fait marcher la charrette?
Elle se croit comme saint Onzemillevierges!
Mais moi, je suis Mara Vercors qui n'aime pas l'in-
justice et le faire accroire;

Mara qui dit la vérité et c'est cela qui met les gens en colère!

Qu'ils s'y mettent! je leur fais la figue. Il n'y a pas une de ces femmes ici qui grouille devant moi, les bonifaces! Tout marche comme au moulin.

Et voilà que tout est pour elle et rien pour moi.

LA MÈRE. — Tu auras ta part.

MARA. — Voire! Les grèves d'en haut! des limons qu'il faut cinq bêtes pour labourer! les mauvaises terres de Chinchy.

LA MÈRE. — Ça rapporte bien tout de même.

MARA. — Sûrement.

Des chiendents et des queues-de-renard, du séné et des bouillons-blancs!

J'aurai de quoi me faire de la tisane.

LA MÈRE. — Mauvaise, tu sais bien que ce n'est pas vrai!

Tu sais bien qu'on ne te fait pas tort de rien!

Mais c'est toi qui as toujours été méchante! Quand tu étais petite,

Tu ne criais pas quand on te battait,

Dis, noirpiaude, vilaine!

Est-ce qu'elle n'est pas l'aînée? Qu'as-tu à lui reprocher,

Jalouse? Mais elle fait toujours ce que tu veux.

Eh bien! elle se mariera la première, et tu te marieras, toi aussi, après!

Et du reste, il est trop tard, car le père va s'en aller, oh! que je suis triste!

Il est allé parler à Violaine et il va chercher Jacques.

MARA. — C'est vrai! Va tout de suite! Va-t'en tout de suite!

LA MÈRE. — Où cela?

MARA. — Mère, voyons! Tu sais bien que c'est moi! Dis-lui qu'elle ne l'épouse pas, maman!

LA MÈRE. — Assurément je n'en ferai rien.

MARA. — Répète-lui seulement ce que j'ai dit. Dis-lui que je me tuerai. Tu m'as bien entendue?

(Elle la regarde fixement)

LA MÈRE — Ha!

MARA. — Crois-tu que je ne le ferai pas?

LA MÈRE. — Si fait, mon Dieu!

MARA. — Va donc!

LA MÈRE. — O
Tête!

MARA. — Tu n'es là-dedans pour rien.
Répète-lui seulement ce que j'ai dit.

LA MÈRE. — Et lui, que sais-tu s'il voudra t'épouser?

MARA. — Certainement il ne voudra pas.

LA MÈRE. — Eh bien...

MARA. — Eh bien?

LA MÈRE. — Ne crois pas que je lui conseille
de faire ce que tu veux! au contraire!

Je répéterai seulement ce que tu as dit. Bien sûr.

Qu'elle ne sera pas assez sotte que de te céder,
si elle me croit.

(Elle sort)

SCÈNE III

*(Entrent ANNE VERCORS et JACQUES
HURY, puis VIOLAINE, puis les serviteurs de la ferme)*

ANNE VERCORS, *s'arrêtant*. — Hé! que me
racontes-tu là?

JACQUES HURY. — Tel que je vous le dis!
Cette fois je l'ai pris sur le fait, la serpe à la main!

Je venais tout doucement par-derrière et tout
d'un coup

Flac! je me suis jeté sur lui de toute ma hauteur,

Tout chaud, comme on se jette sur un lièvre
au gîte au temps de la moisson.

Et vingt jeunes peupliers en botte à côté de lui,
ceux auxquels vous tenez tant!

ANNE VERCORS. — Que ne venait-il me
trouver? Je lui aurais donné le bois qu'il faut.

JACQUES HURY. — Le bois qu'il lui faut,
c'est le manche de mon fouet!

Ce n'est pas le besoin, c'est mauvaiseté, c'est
idée de faire le mal!

Ce sont ces mauvaises gens de Chevoche qui
sont toujours prêtes à faire n'importe quoi

Par gloire, pour braver le monde!

Mais pour cet homme-là, je vais lui couper les
oreilles avec mon petit couteau!

ANNE VERCORS. — Non.

JACQUES HURY. — Du moins laissez-moi l'attacher à la herse par les poignets devant la Grand'-
porte,

La figure tournée contre les dents; avec le chien
Faraud pour le surveiller.

ANNE VERCORS. — Non plus.

JACQUES HURY. — Qu'est-ce donc qu'il faut
faire?

ANNE VERCORS. — Le renvoyer chez lui.

JACQUES HURY. — Avec son fagot?

ANNE VERCORS. — Et avec un autre que tu
lui donneras.

JACQUES HURY. — Notre père, ce n'est pas
bien.

ANNE VERCORS. — Tu pourras l'attacher au
milieu, de peur qu'il ne les perde.

Cela l'aidera à passer le gué de Saponay.

JACQUES HURY. — Il ne faut pas être lâche sur son droit.

ANNE VERCORS. — Je le sais, ce n'est pas bien!

Jacques, voilà que je suis lâche et vieux, las de combattre et de défendre.

Jadis j'ai été âpre comme toi. Il est un temps de prendre et un temps de laisser prendre.

L'arbre qui fait sa fleur doit être défendu, mais l'arbre couvert de ses fruits, qu'on y aille sans se gêner avec lui.

Soyons injuste en peu de chose, pour que Dieu soit grandement injuste avec moi.

Et d'ailleurs, tu vas faire maintenant ce que tu veux, car c'est toi qui es sur Combernon à ma place.

JACQUES HURY. — Que dites-vous?

LA MÈRE. — Il s'en va pèlerin à Jérusalem.

JACQUES HURY. — Jérusalem?

ANNE VERCORS. — Il est vrai. Je pars à cet instant même.

JACQUES HURY. — Eh quoi? qu'est-ce que cela veut dire?

ANNE VERCORS. — Tu as très bien entendu.

JACQUES HURY. — Comme cela, dans le moment du grand travail, vous nous quittez?

ANNE VERCORS. — Il ne faut pas deux chefs à Combernon.

JACQUES HURY. — Mon père, je ne suis que votre fils.

ANNE VERCORS. — C'est toi qui seras le père ici à ma place.

JACQUES HURY. — Je ne vous entends pas.

ANNE VERCORS. — Je m'en vais. Tiens Combernon à ma place.

Comme je le tiens de mon père et celui-ci du sien,

Et Radulphe le Franc, premier de notre lignée, de saint Remy de Rheims.

Qui lui-même de Geneviève de Paris

Tenait cette terre alors païenne toute horrible de mauvais arbres et d'épines spontanées.

Radulphe et ses enfants l'évangélisèrent avec le fer et le feu

Et l'exposèrent nue et rompue aux eaux du baptême.

Plaine et colline, ils couvrirent tout de sillons égaux,

Ainsi qu'un clerc appliqué qui de la parole de Dieu lève copie ligne à ligne.

Et ils commencèrent Monsanvierge sur la montagne, en ce lieu où le Mauvais était honoré

(Et d'abord ce n'était qu'une cabane de bûches et de roseaux dont l'Évêque vint sceller la porte,

Et deux recluses y tenaient garde)

Et Combernon à son pied, demeure munie.

Ainsi cette terre est libre que nous tenons de saint Remy au ciel, payant dîme là-haut pour

cimier à ce vol un instant posé de colombes gé-
missantes.

Car tout se tient en Dieu, aux vivants en Lui
ne cesse pas le fruit de leurs œuvres,

Qui passent et reviennent sur nous à leur temps
en magnifique ordonnance,

Comme sur les moissons diverses l'été, tout le
jour, ces grands nuages qui vont en Allemagne.

Les bêtes ici ne sont jamais malades; les pis, les
puits ne sèchent jamais, le grain est dur comme de
l'or, la paille est raide comme du fer.

Et contre les pillards nous avons des armes, et
les murailles de Combernon, et le roi, notre voisin.

Recueille cette moisson que j'ai semée, comme
moi-même autrefois j'ai rabattu la motte sur le
sillon que mon père avait tracé.

O bon ouvrage de l'agriculture, où le soleil est
comme notre bœuf luisant, et la pluie notre ban-
quier, et Dieu tous les jours au travail notre compagnon, faisant de tous le mieux!

Les autres attendent leur bien des hommes mais
nous le recevons tout droit du ciel même,

Cent pour un, l'épi pour une graine et l'arbre
pour un pépin.

Car telle est la justice de Dieu avec nous, et sa
mesure à lui dont il nous repaye.

La terre tient au ciel, le corps tient à l'esprit,
toutes les choses qu'il a créées ensemble commu-
niquent, toutes à la fois sont nécessaires l'une à
l'autre.

Tiens les manches de la charrue à ma place, dé-

livre la terre de ce pain que Dieu lui-même a
désiré.

Donne à manger à toutes les créatures, aux
hommes et aux animaux, et aux esprits et aux
corps, et aux âmes immortelles.

Vous autres, femmes, serviteurs, regardez! Voici
le fils de mon choix, Jacques Hury.

Je m'en vais et il demeure à ma place. Obéissez-
lui.

JACQUES HURY. — Qu'il soit fait à votre
volonté.

ANNE VERCORS. — Violaine!

Mon enfant née la première à la place de ce fils
que je n'ai pas eu!

Héritière de mon nom en qui je vais être donné
à un autre!

Violaine, quand tu auras un mari, ne méprise
point l'amour de ton père.

Car tu ne peux pas rendre au père ce qu'il t'a
donné, quand tu le voudrais.

Tout est égal entre les époux; ce qu'ils ignorent,
ils l'acceptent l'un de l'autre dans la foi.

Voici la religion mutuelle, voici cette servitude
par qui le sein de la femme se gonfle de lait!

Mais le père voit ses enfants hors de lui et connaît ce qui était en lui déposé. Connais, ma fille,
ton père!

L'amour du Père

Ne demande point de retour et l'enfant n'a pas
besoin qu'il le gagne ou le mérite;

Comme il était avec lui avant le commencement, il demeure

Son bien et son héritage, son recours, son honneur, son titre, sa justification!

Mon âme ne se sépare point de cette âme que j'ai communiquée.

Ce que j'ai donné ne peut être rendu. Connais seulement que je suis, ô mon enfant, ton père!

Et aucun mâle ne m'est issu. Tout est une femme de ce que j'ai mis au monde,

Rien que cette chose en nous qui donne et qui est donnée.

Et maintenant l'heure est venue pour nous de nous séparer.

VIOLAINE. — Père! ne dites point cette chose cruelle!

ANNE VERCORS. — Jacques, tu es l'homme que j'aime. Prends-la. Je te donne ma fille Violaine! Ote-lui mon nom.

Aime-la, car elle est nette comme l'or.

Tous les jours de ta vie, comme le pain dont on ne se rassasie pas.

Elle est simple et obéissante, elle est sensible et secrète.

Ne lui fais point de peine et traite-la avec bonté.

Tout est ici à toi, sauf la part qui sera faite à Mara selon que je l'ai arrangé.

JACQUES HURY. — Quoi, mon père, votre fille, votre bien...

ANNE VERCORS. — Je te donne tout ensemble, selon qu'ils sont à moi.

JACQUES HURY. — Mais qui sait si elle veut de moi encore?

ANNE VERCORS. — Qui le sait?

(Elle regarde JACQUES et fait oui sans rien dire avec la bouche)

JACQUES HURY. — Vous voulez de moi, Violaine?

VIOLAINE. — C'est le père qui veut.

JACQUES HURY. — Vous voulez bien aussi?

VIOLAINE. — Je veux bien aussi.

JACQUES HURY. — Violaine!
Comment est-ce que je vais m'arranger avec vous?

VIOLAINE. — Songez-y pendant qu'il en est temps encore!

JACQUES HURY. — Alors je vous prends de par Dieu et je ne vous lâche plus!

(Il la prend à deux mains)

Je vous tiens pour de bon, votre main et le bras avec, et tout ce qui vient avec le bras.

Parents, votre fille n'est plus à vous! c'est à moi seul!

ANNE VERCORS. — Eh bien, ils sont mariés, c'est fait! Que dis-tu, la mère?

LA MÈRE. — Je suis bien contente!

(Elle pleure)

ANNE VERCORS. — Elle pleure, la femme!

Va! voilà qu'on nous prend nos enfants et que nous resterons seuls.

La vieille femme qui se nourrit d'un peu de lait et d'un petit morceau de gâteau.

Et le vieux aux oreilles pleines de poils blancs comme un cœur d'artichaut.

Que l'on prépare la robe de noces!

Enfants, je ne serai pas là à votre mariage.

VIOLAINE. — Quoi, père!

LA MÈRE. — Anne!

ANNE VERCORS. — Je pars. Maintenant.

VIOLAINE. — O père, quoi! avant que nous soyons mariés!

ANNE VERCORS. — Il le faut. La mère t'expliquera tout.

(Entre MARA)

LA MÈRE. — Combien de temps vas-tu rester là-bas?

ANNE VERCORS. — Je ne sais. Peu de temps peut-être.

Bientôt je suis de retour.

(Silence)

VOIX D'ENFANT AU LOIN :
Compère loriot!
Qui mange les cesses et qui laisse le noyau!

ANNE VERCORS. — Le loriot siffle au milieu de l'arbre rose et doré!

Qu'est-ce qu'il dit? que la pluie de cette nuit a
été comme de l'or pour la terre

Après ces longs jours de chaleur. Qu'est-ce qu'il
dit? il dit qu'il fait bon labourer.

Qu'est-ce qu'il dit encore? qu'il fait beau, que
Dieu est grand, qu'il y a encore deux heures avant
midi.

Qu'est-ce qu'il dit encore, le petit oiseau?

Qu'il est temps que le vieux homme s'en aille
Ailleurs et qu'il laisse le monde à ses affaires.

Jacques, je te laisse mon bien, défends ces
femmes.

JACQUES HURY. — Comment, est-ce que
vous partez?

ANNE VERCORS. — Je crois qu'il n'a rien
entendu.

JACQUES HURY. — Comme cela, tout de
suite?

ANNE VERCORS. — Il est l'heure.

LA MÈRE. — Tu ne vas pas partir avant que
d'avoir mangé?

*(Pendant ce temps les servantes ont dressé
la grande table pour le repas de la ferme)*

ANNE VERCORS, *à une servante.* — Holà,
mon sac, mon chapeau!

Apporte mes souliers! apporte mon manteau.

Je n'ai pas le temps de prendre ce repas avec
vous.

LA MÈRE. — Anne! combien de temps vas-tu rester là-bas? Un an, deux ans? Plus que deux ans?

ANNE VERCORS. — Un an. Deux ans. Oui, c'est cela.

Mets-moi mes souliers.

> *(LA MÈRE s'agenouille et lui met ses souliers)*

Pour la première fois je te quitte, ô maison! Combernon, haute demeure!

Veille bien à tout! Jacques sera ici à ma place.

Voilà la cheminée où il y a toujours du feu, voilà la grande table où je donne à manger à mon peuple.

Prenez place tous! une dernière fois je vous partagerai le pain.

> *(Il prend place au bout de la longue table, ayant LA MÈRE à sa droite. Tous les serviteurs et les servantes sont debout, chacun à sa place.*
>
> *Il prend le pain, fait une croix dessus avec le couteau, le coupe et le fait distribuer par VIOLAINE et MARA. Lui-même conserve le dernier morceau.*
>
> *Puis il se tourne solennellement vers LA MÈRE et lui ouvre les bras)*

Adieu, Élisabeth!

LA MÈRE, *pleurant, dans ses bras.* — Tu ne me reverras plus.

ANNE VERCORS, *plus bas.* — Adieu, Élisabeth.

*(Il se tourne vers MARA et la regarde
longuement et gravement, puis il lui tend
la main)*

Adieu, Mara! sois bonne.

MARA, *lui baisant la main.* — Adieu, père!

*(Silence. ANNE VERCORS est debout,
regardant devant lui, comme s'il ne
voyait pas VIOLAINE, qui se tient,
pleine de trouble, à son côté. A la fin il
se tourne un peu vers elle et elle lui passe
les bras autour du cou, la figure contre
sa poitrine, sanglotant.
ANNE VERCORS, comme s'il ne s'en
apercevait pas, aux serviteurs)*

Vous tous, adieu!

J'ai toujours été juste pour vous. Si quelqu'un
dit le contraire, il ment.

Je ne suis pas comme les autres maîtres. Mais
je dis que c'est bien quand il faut, et je réprimande
quand il faut.

Maintenant que je m'en vais, faites comme si
j'étais là.

Car je reviendrai. Je reviendrai au moment que
vous ne m'attendez pas.

(Il leur donne à tous la main)

Que l'on amène mon cheval!

(Silence)
*(Se penchant vers VIOLAINE qui le tient
toujours embrassé)*

65

Qu'est-ce qu'il y a, petit enfant?

Tu as échangé un mari pour ton père.

VIOLAINE. — Hélas, Père! Hélas!

(Il lui défait doucement les mains)

LA MÈRE. — Dis quand tu reviendras.

ANNE VERCORS. — Je ne puis pas le dire.

Peut-être ce sera le matin, peut-être à midi quand on mange.

Et peut-être que la nuit, vous réveillant, vous entendrez mon pas sur la route.

Adieu!

(Il sort)

ACTE II

*Le mal entré de la
famille et dans
Violaine
qui se retire à Geyn*

Quinze jours plus tard. Commencement de juillet. Midi.

Un grand verger complanté régulièrement d'arbres ronds. Plus haut, et un peu en retrait, l'enceinte et les tours, et les longs bâtiments aux toits de tuiles de Combernon. Puis le flanc de la colline abrupte qui s'élève. Et tout en haut la formidable arche de pierre de Monsanvierge sans aucune ouverture et ses cinq tours dans le type de la cathédrale de Laon, et la grande cicatrice blanche à son flanc de la brèche par où la Reine Mère de France vient de pénétrer.

Tout vibre dans le grand soleil.

UNE VOIX DE FEMME AU CIEL, du haut de la plus haute tour de Monsanvierge. —
Salve Regina mater misericordiae
Vita dulcedo et spes nostra salve
Ad te clamamus exsules filii Hevae
Ad te suspiramus gementes et flentes in hac lacrymarum valle.
Eïa ergo advocata nostra illos tuos misericordes oculos ad nos converte
Et Jesum benedictum fructum ventris tui nobis post hoc exilium ostende

69

O clemens
O pia
O dulcis Virgo Maria
      (Longue pause pendant laquelle la scène
         reste vide)

SCÈNE PREMIÈRE

(Entrent LA MÈRE et MARA)

MARA. — Qu'a-t-elle dit?

LA MÈRE. — J'amenais cela tout en allant. Tu vois que depuis quelques jours elle a perdu sa gaieté.

MARA. — Elle ne parle jamais tant.

LA MÈRE. — Mais elle ne rit plus. Ça me fait de la peine.
C'est peut-être que Jacquin n'est pas là, mais il revient aujourd'hui.
— Et le père aussi est parti.

MARA. — C'est tout ce que tu lui as dit?

LA MÈRE. — C'est ce que je lui ai dit, et le reste sans y rien changer, comme tu me l'as fait réciter :
Jacquin et toi : que tu l'aimes, et tout,
Et que cette fois il ne faut pas être bête et se

laisser faire, ça je l'ai ajouté et je l'ai répété deux
et trois fois;

Et rompre le mariage qui est comme fait, contre
la volonté du père.

Qu'est-ce que les gens donc penseraient?

MARA. — Et qu'a-t-elle répondu?

LA MÈRE. — Elle s'est mise à rire, et moi, je
me suis mise à pleurer.

MARA. — Je la ferai rire!

LA MÈRE. — Ce n'est pas le rire que j'aime de
ma petite fille, et moi aussi je me suis mise à
pleurer.

Et je disais : « Non, non, Violaine, mon enfant! »
Mais elle de la main sans parler me fit signe
qu'elle voulait être seule.

Ah! qu'on a de mal avec ses enfants!

MARA. — Chut!

LA MÈRE. — Qu'y a-t-il?

J'ai regret de ce que j'ai fait.

MARA. — Bien! — La vois-tu là-bas au fond
du clos? Elle marche derrière les arbres. On ne la
voit plus.

> (Silence. — On entend derrière la scène un
> appel de cornet)

LA MÈRE. — Voilà Jacquin qui revient. Je
reconnais le son de sa corne.

MARA. — Éloignons-nous.

> (Elles sortent)

SCÈNE II

(Entre JACQUES HURY)

JACQUES HURY. *(Il regarde tout autour de lui.)* — Je ne la vois pas.
Et cependant elle m'avait fait dire
Qu'elle voulait me voir ce matin même
Ici.

> *(Entre MARA. — Elle s'avance vers JAC-
> QUES et à six pas lui fait une révérence
> cérémonieuse)*

JACQUES HURY. — Bonjour, Mara!

MARA. — Monseigneur, votre servante!

JACQUES HURY. — Quelle est cette grimace?

MARA. — Ne vous dois-je point hommage? n'êtes-vous pas le maître céans, ne relevant que de Dieu seul, comme le Roi de France lui-même et l'Empereur Charlemagne?

JACQUES HURY. — Raillez, mais cela est vrai tout de même! Oui, Mara, c'est beau! Chère sœur je suis trop heureux!

MARA. — Je ne suis pas votre *chère sœur!* Je suis votre servante puisqu'il le faut.
Homme de Braine! fils de la terre serve! je ne suis pas votre sœur, vous n'êtes pas de notre sang!

JACQUES HURY. — Je suis l'époux de Violaine.

MARA. — Vous ne l'êtes pas encore.

JACQUES HURY. — Je le serai demain.

MARA. — Qui sait?

JACQUES HURY. — Mara, j'y ai mûrement pensé

Et je crois que vous avez rêvé cette histoire que vous m'avez racontée l'autre jour.

MARA. — Quelle histoire?

JACQUES HURY. — Ne faites point l'étonnée. Cette histoire du maçon, ce baiser clandestin au point du jour.

MARA. — C'est possible. J'ai mal vu. J'ai de bons yeux pourtant.

JACQUES HURY. — Et l'on m'a dit tout bas que l'homme est lépreux!

MARA. — Je ne vous aime pas, Jacques. Mais vous avez le droit de tout savoir. Il faut que tout soit net et clair à Monsanvierge qui est en montrance sur tout le Royaume.

JACQUES HURY. — Tout cela sera tiré à jour en ce moment.

MARA. — Vous êtes fin et rien ne vous échappe.

JACQUES HURY. — Je vois du moins que vous ne m'aimez pas.

MARA. — Là! là! Que disais-je? que disais-je?

JACQUES HURY. — Tout le monde ici n'est pas de votre sentiment.

MARA. — Vous parlez de Violaine? Je rougis de cette petite fille.

Il est honteux de se donner ainsi,

Ame, chair, cœur, peau, le dessus, le dedans et la racine.

JACQUES HURY. — Je sais qu'elle est entièrement à moi.

MARA. — Oui.

Comme il dit bien cela! comme il est sûr de ces choses qui sont à lui! Brainard de Braine!

Ces choses seules sont à soi que l'on a faites, ou prises, ou gagnées.

JACQUES HURY. — Mais moi, Mara, vous me plaisez et je n'ai rien contre vous.

MARA. — Comme tout ce qui est d'ici sans doute?

JACQUES HURY. — Ce n'est pas ma faute que vous ne soyez pas un homme et que je vous prenne votre bien!

MARA. — Qu'il est fier et content! Regardez-le qui ne peut se tenir de rire!

Allons! ne vous faites point de mal! riez!

(Il rit)

Je connais bien votre figure, Jacques.

JACQUES HURY. — Vous êtes fâchée de ne pouvoir me faire de la peine.

MARA. — Comme l'autre jour pendant que le père parlait,
Riant d'un œil et pleurant sec de l'autre.

JACQUES HURY. — Ne suis-je pas maître d'un beau domaine?

MARA. — Et le père était vieux, n'est-ce pas? Vous savez une chose ou deux de plus que lui?

JACQUES HURY. — A chaque homme son temps.

MARA. — C'est vrai, Jacques, vous êtes un grand beau jeune homme.
Le voilà qui devient tout rouge.

JACQUES HURY. — Ne me tourmentez pas.

MARA. — Tout de même, c'est dommage!

JACQUES HURY. — Qu'est-ce qui est dommage?

MARA. — Adieu, époux de Violaine! Adieu, maître de Monsanvierge, ah ah!

JACQUES HURY. — Je vous ferai voir que je le suis.

MARA. — Prenez l'esprit d'ici alors, Brainard de Braine!
Il croit que tout est à lui comme un paysan, on vous fera voir le contraire!
Comme un paysan qui est à lui tout seul ce

qu'il y a de plus haut au milieu de son petit champ tout plat!

Mais Monsanvierge est à Dieu et le maître de Monsanvierge est l'homme de Dieu, qui n'a rien

A lui, ayant tout reçu pour un autre.

C'est la leçon qu'on nous fait ici de père en enfant. Il n'y a pas de place plus altière que la nôtre.

Prenez l'esprit de vos maîtres, vilain!

(Fausse sortie)

Ah!

Violaine que j'ai rencontrée

M'a chargée d'un message pour vous.

JACQUES HURY. — Que ne le disiez-vous plus tôt?

MARA. — Elle vous attend près de la fontaine.

SCÈNE III

La fontaine de l'Adoue. C'est un grand trou carré dans une paroi verticale de blocs calcaires. Un mince filet d'eau s'en échappe avec un bruit mélancolique. On voit suspendus à la muraille des croix de paille et des bouquets de fleurs desséchées, EX-VOTO.

Elle est entourée d'arbres épais et de rosiers formant berceau dont les fleurs abondantes éclatent sur la verdure.

JACQUES HURY. *(Il regarde qui vient par le sentier sinueux VIOLAINE toute dorée qui par*

moments resplendit sous le soleil entre les feuilles.)
— O ma fiancée à travers les branches en fleurs,
salut!

> *(VIOLAINE entre et se tient devant lui.*
> *Elle est vêtue d'une robe de lin et d'une*
> *espèce de dalmatique en drap d'or décoré*
> *de grosses fleurs rouges et bleues. La*
> *tête est couronnée d'une espèce de dia-*
> *dème d'émaux et d'orfèvrerie)*

Violaine, que vous êtes belle!

VIOLAINE. — Jacques! Bonjour, Jacques!
Ah! que vous êtes resté longtemps là-bas!

JACQUES HURY. — Il me fallait tout déga-
ger et vendre, me rendre entièrement libre
Afin d'être l'homme de Monsanvierge seul
Et le vôtre.
Quel est ce costume merveilleux?

VIOLAINE. — Je l'ai mis pour vous. Je vous
en avais parlé. Ne le reconnaissez-vous pas?
C'est le costume des moniales de Monsanvierge,
à peu près, moins le manipule seul, le costume
qu'elles portent au chœur,
La dalmatique du diacre qu'elles ont privilège
de porter, quelque chose du prêtre, elles-mêmes
hosties,
Et que les femmes de Combernon ont le droit
de revêtir deux fois :
Premièrement le jour de leurs fiançailles,
Secondement de leur mort.

JACQUES HURY. — Il est donc vrai, c'est le jour de nos fiançailles, Violaine?

VIOLAINE. — Jacques, il est encore temps, nous ne sommes pas mariés encore!

Si vous n'avez voulu que faire plaisir à mon père, il est temps de vous reprendre encore, c'est de nous qu'il s'agit. Dites un mot seulement; je ne vous en voudrai pas, Jacques.

Car il n'y a pas encore de promesses entre nous deux et je ne sais si je vous plais encore.

JACQUES HURY. — Que vous êtes belle, Violaine! Et que ce monde est beau où vous êtes Cette part qui m'avait été réservée!

VIOLAINE. — C'est vous, Jacques, qui êtes ce qu'il y a de meilleur au monde.

JACQUES HURY. — Est-il vrai que vous acceptez d'être à moi?

VIOLAINE. — Oui, c'est vrai, bonjour, mon bien-aimé! Je suis à vous.

JACQUES HURY. — Bonjour, ma femme! bonjour, douce Violaine!

VIOLAINE. — Ce sont des choses bonnes à entendre, Jacques!

JACQUES HURY. — Il ne faudra plus jamais cesser d'être là! Dites que vous ne cesserez plus jamais d'être la même et l'ange qui m'est envoyé!

VIOLAINE. — A jamais ce qui est à moi cela ne cessera pas d'être vôtre.

JACQUES HURY. — Et quant à moi, Violaine...

VIOLAINE. — Ne dites rien. Je ne vous demande rien. Vous êtes là et cela me suffit.

Bonjour, Jacques!

Ah, que cette heure est belle et je n'en demande point d'autre.

JACQUES HURY. — Demain sera plus beau encore!

VIOLAINE. — Demain j'aurai quitté le vêtement magnifique.

JACQUES HURY. — Mais vous serez si près de moi que je ne vous verrai plus.

VIOLAINE. — Bien près de vous en effet!

JACQUES HURY. — Ta place est faite.

Violaine, que ce lieu est solitaire et que l'on y est en secret avec toi!

VIOLAINE, *tout bas*. — Ton cœur suffit. Va, je suis avec toi et ne dis pas un mot.

JACQUES HURY. — Mais demain aux yeux de tous je prendrai cette Reine entre mes bras.

VIOLAINE. — Prends-la et ne la laisse pas aller.

Ah prenez votre petite avec vous qu'on ne la retrouve plus et qu'on ne lui fasse aucun mal!

JACQUES HURY. — Et vous ne regretterez point à ce moment le lin et l'or?

VIOLAINE. — Ai-je eu tort de me faire belle pour une pauvre petite heure?

JACQUES HURY. — Non, mon beau lys, je ne puis me lasser de te considérer dans ta gloire!

VIOLAINE. — O Jacques! dites encore que vous me trouvez belle!

JACQUES HURY. — Oui, Violaine!

VIOLAINE. — La plus belle de toutes les femmes et les autres ne sont rien pour vous?

JACQUES HURY. — Oui, Violaine!

VIOLAINE. — Et que vous m'aimez uniquement comme l'époux le plus tendre aime le pauvre être qui s'est donné à lui?

JACQUES HURY. — Oui, Violaine.

VIOLAINE. — Qui se donne à lui de tout son cœur, Jacques croyez-le, et qui ne réserve rien.

JACQUES HURY. — Et vous, Violaine, ne me croyez-vous donc pas?

VIOLAINE. — Je vous crois, je vous crois, Jacques! je crois en vous! J'ai confiance en vous, mon bien-aimé!

JACQUES HURY. — Pourquoi donc cet air d'inquiétude et d'effroi?
Montrez-moi votre main gauche.

(Elle la montre)

Mon anneau n'y est plus.

VIOLAINE. — Je vous expliquerai cela tout à l'heure, vous serez satisfait.

JACQUES HURY. — Je le suis, Violaine. J'ai foi en vous.

VIOLAINE. — Je suis plus qu'un anneau, Jacques. Je suis un grand trésor.

JACQUES HURY. — Oui, Violaine.

VIOLAINE. — Ah, si je me donne à vous, Ne saurez-vous pas préserver votre petite qui vous aime?

JACQUES HURY. — Voilà que vous doutez de moi encore!

VIOLAINE. — Jacques! Après tout je ne fais aucun mal en vous aimant. C'est la volonté de Dieu et de mon père.

C'est vous qui avez charge de moi! Et qui sait si vous ne saurez pas bien me défendre et me préserver?

Il suffit que je me donne à vous complètement. Et le reste est votre affaire et non plus la mienne.

JACQUES HURY. — Et c'est ainsi que vous vous êtes donnée à moi, ma fleur-de-soleil?

VIOLAINE. — Oui, Jacques.

JACQUES HURY. — Qui donc vous prendra d'entre mes bras?

VIOLAINE. — Ah, que le monde est grand et que nous y sommes seuls!

JACQUES HURY. — Pauvre enfant! je sais que votre père est parti.

Et moi aussi je n'ai plus personne avec moi pour me dire ce qu'il faut faire et ce qui est bien et mal.

Il faudra que vous m'aidiez, Violaine, comme je vous aime.

VIOLAINE. — Mon père m'a abandonnée.

JACQUES HURY. — Mais moi, Violaine, je vous reste.

VIOLAINE. — Ni ma mère ne m'aime ni ma sœur, bien que je ne leur aie fait aucun mal.

Et il ne me reste plus que ce grand homme terrible que je ne connais pas.

> *(Il fait le geste de la prendre dans ses bras.*
> *Elle l'écarte vivement)*

Ne me touchez pas, Jacques!

JACQUES HURY. — Suis-je donc un lépreux?

VIOLAINE. — Jacques, je veux vous parler, ah! que c'est difficile!

Ne me manquez point, qui n'ai plus que vous seul!

JACQUES HURY. — Qui vous veut aucun mal?

VIOLAINE. — Sachez ce que vous faites en me prenant pour femme!

Laissez-moi vous parler bien humblement, seigneur Jacques

Qui allez recevoir mon âme et mon corps en commande des mains de Dieu et de mon père qui les ont faits.

Et sachez la dot que je vous apporte qui n'est point celle des autres femmes,

Mais cette sainte montagne en prière jour et nuit devant Dieu, comme un autel toujours fumant,

Et cette lampe toujours allumée dont notre charge est de nourrir l'huile.

Et témoin n'est à notre mariage aucun homme, mais ce Seigneur dont nous tenons seul le fief,

Qui est le Tout-Puissant, le Dieu des Armées.

Et ce n'est point le soleil de juillet qui nous éclaire, mais la lumière même de Sa face.

Aux saints les choses saintes! Qui sait si notre cœur est pur?

Jamais le mâle jusqu'ici n'avait manqué à notre race, toujours le sacré dépôt avait été transmis de père en fils,

Et voici que pour la première fois il tombe aux mains d'une femme et qu'il devient objet de convoitise avec elle.

JACQUES HURY. — Violaine, non, je ne suis clerc, ni moine ni béat.

Je ne suis pas le tourier et le convers de Monsan-vierge.

J'ai une charge et je la remplirai

Qui est de nourrir ces oiseaux murmurants

Et de remplir ce panier qu'on descend du ciel chaque matin.

C'est écrit. C'est bien.

J'ai bien compris cela et me le suis mis dans la tête, et il ne faut pas m'en demander davantage.

Il ne faut pas me demander de comprendre ce qui est par-dessus moi et pourquoi ces saintes femmes se sont murées là-haut dans ce pigeonnier.

Aux célestes le ciel, et la terre aux terrestres.

Car le blé ne pousse pas tout seul et il faut un bon laboureur à celui d'ici.

Et cela, je peux dire sans me vanter que je le suis, et personne ne m'apprendra rien, ni votre père lui-même peut-être.

Car il était ancien et attaché à ses idées.

A chacun sa place, en cela est la justice.

Et votre père en vous donnant à moi

Ensemble avec Monsanvierge, a su ce qu'il faisait et cela était juste.

VIOLAINE. — Mais moi, Jacques, je ne vous aime pas parce que cela est juste.

Et même si cela ne l'était pas, je vous aimerais encore et plus.

JACQUES HURY. — Je ne vous comprends pas, Violaine.

VIOLAINE. — Jacques, ne me forcez pas à parler! Vous m'aimez tant et je ne puis vous faire que du mal.

Laissez-moi! il ne peut y avoir de justice entre nous deux! mais la foi seulement et la charité. Éloignez-vous de moi quand il est encore temps.

JACQUES HURY. — Je ne comprends pas, Violaine.

VIOLAINE. — Mon bien-aimé, ne me forcez pas à vous dire mon grand secret.

JACQUES HURY. — Un grand secret, Violaine?

VIOLAINE. — Si grand que tout est consommé et vous ne demanderez pas de m'épouser davantage.

JACQUES HURY. — Je ne vous comprends pas.

VIOLAINE. — Ne suis-je pas assez belle en ce moment, Jacques? Que me demandez-vous encore?

Que demande-t-on d'une fleur
Sinon qu'elle soit belle et odorante une minute, pauvre fleur, et après ce sera fini.

La fleur est courte, mais la joie qu'elle a donnée une minute

N'est pas de ces choses qui ont commencement ou fin.

Ne suis-je pas assez belle? Manque-t-il quelque chose? Ah! je vois tes yeux, mon bien-aimé! est-ce qu'il y a rien en toi qui en ce moment ne m'aime et qui doute de moi?

Est-ce que mon âme n'est pas assez? prends-la et je suis encore ici et aspire-la jusques aux racines qui est à toi!

Il suffit d'un moment pour mourir, et la mort même l'un dans l'autre

Ne vous anéantira pas plus que l'amour, et est-ce qu'il y a besoin de vivre quand on est mort?

Que veux-tu faire de moi davantage? fuis, éloigne-toi! Pourquoi veux-tu m'épouser? pourquoi veux-tu

Prendre pour toi ce qui est à Dieu seul?

La main de Dieu est sur moi et tu ne peux me défendre!

O Jacques; nous ne serons pas mari et femme en ce monde!

JACQUES HURY. — Violaine, quelles sont ces paroles étranges, si tendres, si amères? par quels sentiers insidieux et funestes me conduisez-vous?

Je crois que vous voulez m'éprouver et vous jouer de moi qui suis un homme simple et rude.

Ah, Violaine, que vous êtes belle ainsi! et cependant j'ai peur et je vous vois dans ce vêtement qui m'effraie!

Car ce n'est point la parure d'une femme, mais le vêtement du Sacrificateur à l'autel,

De celui qui aide le prêtre, laissant le flanc découvert et les bras libres!

Ah! je le vois, c'est l'esprit de Monsanvierge qui vit en vous et la fleur suprême en dehors de ce jardin scellé!

Ah, ne tourne pas vers moi ce visage qui n'est plus de ce monde! ce n'est plus ma chère Violaine.

Assez d'anges servent la messe au ciel!

Ayez pitié de moi qui suis un homme sans ailes et je me réjouissais de ce compagnon que Dieu m'avait donné, et que je l'entendais soupirer, la tête sur mon épaule!

Doux oiseau! le ciel est beau, mais c'est une belle chose aussi que d'être pris!

Et le ciel est beau! mais c'est une belle chose

aussi et digne de Dieu même, un cœur d'homme que l'on remplit sans en rien laisser vide.

Ne me damnez pas par la privation de votre visage!

Et sans doute que je suis un homme sans lumière et sans beauté

Mais je vous aime, mon ange, ma reine, ma chérie!

VIOLAINE. — Ainsi je vous ai vainement averti et vous voulez me prendre pour femme, et vous ne vous laisserez pas écarter de votre dessein?

JACQUES HURY. — Oui, Violaine.

VIOLAINE. — Qui a pris une épouse, ils ne sont plus qu'une âme en une seule chair et rien ne les séparera plus.

JACQUES HURY. — Oui, Violaine.

VIOLAINE — Vous le voulez!

Il ne convient donc plus que je réserve rien et que je garde pour moi davantage

Ce grand, cet ineffable secret.

JACQUES HURY. — Encore, ce secret, Violaine?

VIOLAINE. — Si grand, Jacques, en vérité

Que votre cœur en sera rassasié,

Et que vous ne me demanderez plus rien,

Et que nous ne serons plus jamais arrachés l'un à l'autre.

Une communication si profonde

Que la vie, Jacques, ni l'enfer, ni le ciel même

Ne la feront plus cesser, ni ne feront cesser
à jamais ce

Moment où je vous l'ai révélé dans la

Fournaise de ce terrible soleil ici présent qui
nous empêchait presque de nous voir le visage!

JACQUES HURY. — Parle donc!

VIOLAINE. — Mais dites-moi d'abord une fois
encore que vous m'aimez.

JACQUES HURY. — Je vous aime!

VIOLAINE. — Et que je suis votre dame et
votre seul amour?

JACQUES HURY. — Ma dame, mon seul amour.

VIOLAINE. — Dis, Jacques, ni mon visage ni
mon âme ne t'ont suffi et ce n'est pas assez?

Et toi aussi, t'es-tu laissé prendre à mes hautes
paroles? Connais le feu dont je suis dévorée!

Connais-la donc, cette chair que tu as tant
aimée!

Venez plus près de moi.

(Mouvement)

Plus près! plus près encore! tout contre mon
côté. Asseyez-vous sur ce banc.

(Silence)

Et donnez-moi votre couteau.

> *(Il lui donne son couteau. Elle fait une
> incision dans l'étoffe de lin sur son flanc,
> à la place qui est sur le cœur et sous le
> sein gauche, et, penchée sur lui, des mains*

*écartant l'ouverture, elle lui montre sa
chair où la première tache de lèpre apparaît. Silence)*

JACQUES HURY, *détournant un peu le visage.*
Donnez-moi le couteau.

*(Elle le lui donne. Silence. Puis JACQUES
s'éloigne de quelques pas, le dos à demi
tourné, et il ne la regardera plus jusqu'à
la fin de l'acte)*

JACQUES HURY. — Violaine, je ne me suis
pas trompé? Quelle est cette fleur d'argent dont
votre chair est blasonnée?

VIOLAINE. — Vous ne vous êtes pas trompé?

JACQUES HURY. — C'est le mal? c'est le mal,
Violaine?

VIOLAINE. — Oui, Jacques.

JACQUES HURY. — La lèpre!

VIOLAINE. — Certes vous êtes difficile à con-
vaincre.
Et il vous faut avoir vu pour croire.

JACQUES HURY. — Et quelle est la lèpre la
plus hideuse,
Celle de l'âme ou celle sur le corps?

VIOLAINE. — Je ne puis rien dire de l'autre.
Je ne connais que celle du corps qui est un mal
assez grand.

JACQUES HURY. — Non, tu ne connais pas
l'autre, réprouvée?

VIOLAINE. — Je ne suis pas une réprouvée.

JACQUES HURY. — Infâme, réprouvée,
Réprouvée dans ton âme et dans ta chair!

VIOLAINE. — Ainsi, vous ne demandez plus
à m'épouser, Jacques?

JACQUES HURY. — Ne te moque point, fille
du diable!

VIOLAINE. — Tel est ce grand amour que vous
aviez pour moi.

JACQUES HURY. — Tel est ce lys que j'avais
élu.

VIOLAINE. — Tel est l'homme qui est à la
place de mon père.

JACQUES HURY. — Tel est l'ange que Dieu
m'avait envoyé.

VIOLAINE. — « Ah, qui nous arrachera l'un à
l'autre? Je t'aime, Jacques, et tu me défendras, et
je sais que je n'ai rien à craindre entre tes bras. »

JACQUES HURY. — Ne te moque point avec
ces paroles affreuses!

VIOLAINE. — Dis,
Ai-je manqué à ma parole? Mon âme ne te suf-
fisait point? As-tu assez de ma chair à présent?
Oublieras-tu ta Violaine désormais et ce cœur
qu'elle t'a révélé?

JACQUES HURY. — Éloigne-toi de moi!

VIOLAINE. — Va, je suis assez loin, Jacques et tu n'as rien à craindre.

JACQUES HURY. — Oui, oui,
Plus loin que tu ne l'as été de ton porc ladre!
Ce faiseur d'os à la viande gâtée.

VIOLAINE. — C'est de Pierre de Craon que vous parlez?

JACQUES HURY. — C'est de lui que je parle, que vous avez baisé sur la bouche.

VIOLAINE. — Et qui vous a raconté cela?

JACQUES HURY. — Mara vous a vus de ses yeux.
Et elle m'a tout dit, comme c'était son devoir,
Et moi, misérable, je ne la croyais pas!
Allons, dis-le! mais dis-le donc! c'est vrai? dis que c'est vrai!

VIOLAINE. — C'est vrai, Jacques.
Mara dit toujours la vérité.

JACQUES HURY. — Et il est vrai que vous l'avez embrassé sur le visage?

VIOLAINE. — C'est vrai.

JACQUES HURY. — O damnée! les flammes de l'enfer ont-elles tant de goût que vous les ayez ainsi convoitées toutes vivantes?

VIOLAINE, *très bas*. — Non point damnée.
Mais douce, douce Violaine! douce, douce Violaine!

JACQUES HURY. — Et vous ne niez point que cet homme ne vous ait eue et possédée?

VIOLAINE. — Je ne nie rien, Jacques.

JACQUES HURY. — Mais je t'aime encore, Violaine! Ah, cela est trop cruel! Dis quelque chose, si tu as rien à dire et je le croirai! Parle, je t'en supplie! dis-moi que cela n'est pas vrai!

VIOLAINE. — Je ne puis pas devenir toute noire en un instant, Jacques, mais dans quelques mois déjà, quelques mois encore,
Vous ne me reconnaîtrez plus.

JACQUES HURY. — Dites-moi que tout cela n'est pas vrai.

VIOLAINE. — Mara dit toujours la vérité et cette fleur aussi sur moi que vous avez vue.

JACQUES HURY. — Adieu, Violaine!

VOLAINE. — Adieu, Jacques.

JACQUES HURY. — Dites, qu'allez-vous faire, misérable?

VIOLAINE. — Quitter ces vêtements. Quitter cette maison. Accomplir la loi. Me montrer au prêtre. Gagner...

JACQUES HURY. — Eh bien?

VIOLAINE. — ...Le lieu qui est réservé aux gens de mon espèce.
La ladrerie là-bas du Géyn.

JACQUES HURY. — Quand cela?

VIOLAINE. — Aujourd'hui. Ce soir même.

(Long silence)

Il n'y a pas autre chose à faire.

JACQUES HURY. — Il faut éviter le scandale. Allez vous dévêtir et prendre une robe de voyage, et je vous dirai ce qu'il est convenable de faire.

(Ils sortent)

SCÈNE IV

La salle du premier acte

LA MÈRE. — Le temps est toujours au beau. Voici huit jours qu'il n'a plu.

(Elle écoute)

On entend de temps en temps les cloches d'Arcy. Dong!   Dong!

Qu'il fait chaud et que tout est énorme!

Que fait Violaine? et Jacques! qu'ont-ils à causer si longtemps?

J'ai regret de ce que je lui ai dit.

(Elle soupire)

Et que fait le vieux fou? Où est-il maintenant? Ah!

(Elle penche la tête)

MARA, *entrant vivement*. — Ils viennent ici. Je pense que le mariage est rompu. M'entends-tu?

Tais-toi,
Et ne va pas rien dire.

LA MÈRE. — Comment?
O méchante! vilaine! tu as obtenu ce que tu
voulais!

MARA. — Laisse faire. Ce n'est qu'un moment.
D'aucune façon
Ça ne se serait fait. Puisque c'est moi donc
Qu'il doit épouser et non pas elle. Cela sera
mieux pour elle mêmement. Il faut que cela soit
ainsi. Entends-tu?
Tais-toi!

LA MÈRE. — Qui t'a dit cela?

MARA. — Est-ce que j'ai besoin qu'on me dise
quelque chose? J'ai tout vu en plein dans leurs
figures. Je les ai chopés tout chauds. J'ai tout
débrouillé en rien-temps.
Et Jacques, le pauvre homme, il me fait pitié.

LA MÈRE. — J'ai regret de ce que j'ai dit!

MARA. — Tu n'as rien dit, tu ne sais rien, tais-
toi!
Et s'ils te disent, quelque chose n'importe quoi
qu'ils te racontent,
Dis comme eux, fais ce qu'ils voudront. Il n'y
a plus rien à faire.

LA MÈRE. — J'espère que tout est pour le
mieux.

Départ de Violaine

SCÈNE V

*(Entrent JACQUES HURY, puis VIOLAINE
tout en noir, habillée comme pour un voyage)*

LA MÈRE. — Qu'est-ce qu'il y a, Jacques?
Qu'est-ce qu'il y a, Violaine?

Pourquoi est-ce que tu as mis ce costume
comme si tu allais partir?

VIOLAINE. — Je vais partir aussi.

LA MÈRE. — Partir? partir toi aussi?
Jacques! que s'est-il passé entre vous?

JACQUES HURY. — Il ne s'est rien passé.
Mais vous savez que je suis allé voir ma mère
à Braine et j'en reviens à l'heure même.

LA MÈRE. — Eh bien?

JACQUES HURY. — Vous savez qu'elle est
vieille et infirme.

Elle dit qu'elle veut voir et bénir
Sa bru avant de mourir.

LA MÈRE. — Ne peut-elle attendre le mariage?

JACQUES HURY. — Elle est malade, elle ne
peut attendre.

Et ce temps de la moisson aussi où il y a tant à
faire,

N'est pas celui de se marier.

Nous avons causé de cela tout à l'heure, Violaine et moi, tout à l'heure bien gentiment,

Et nous avons décidé qu'il était préférable d'attendre

L'automne.

Jusque-là elle sera à Braine chez ma mère.

LA MÈRE. — C'est toi qui le veux ainsi, Violaine?

VIOLAINE. — Oui, mère.

LA MÈRE. — Mais quoi! est-ce que tu veux partir aujourd'hui même?

VIOLAINE. — Ce soir même.

JACQUES HURY. — C'est moi qui l'accompagnerai.

Le temps presse et l'ouvrage aussi en ce mois de foin et de moisson. Je ne suis déjà resté que trop longtemps absent.

LA MÈRE. — Reste, Violaine! Ne t'en va pas de chez nous, toi aussi!

VIOLAINE. — Ce n'est que pour un peu de temps mère!

LA MÈRE. — Un peu de temps, tu le promets?

JACQUES HURY. — Un peu de temps, et quand viendra l'automne,

La voici avec nous de nouveau, pour ne plus nous quitter.

LA MÈRE. — Ah, Jacques! Pourquoi la laissez-vous partir?

JACQUES HURY. — Croyez-vous que cela ne me soit pas dur?

MARA. — Mère, ce qu'ils disent tous les deux est raisonnable.

LA MÈRE. — Il est dur de voir mon enfant me quitter.

VIOLAINE. — Ne soyez pas triste, mère!
Qu'importe que nous attendions quelques jours? Ce n'est qu'un peu de temps à passer.

Ne suis-je pas sûre de votre affection? et de celle de Mara? et de celle de Jacques, mon fiancé?

Jacques, n'est-ce pas? Il est à moi comme je suis à lui et rien ne peut nous séparer! Regardez-moi, cher Jacques. Voyez-le qui pleure de me voir partir!

Ce n'est point le moment de pleurer, mère! ne suis-je pas jeune et belle, et aimée de tous?

Mon père est parti, il est vrai, mais il m'a laissé l'époux le plus tendre, l'ami qui jamais ne m'abandonnera.

Ce n'est donc point le moment de pleurer, mais de se réjouir. Ah, chère mère, que la vie est belle et que je suis heureuse!

MARA. — Et vous, Jacques, que dites-vous? Vous n'avez pas un air joyeux.

JACQUES HURY. — N'est-il pas naturel que je sois triste?

MARA. — Sus! ce n'est qu'une séparation de quelques mois.

JACQUES HURY. — Trop longue pour mon cœur.

MARA. — Écoute, Violaine, comme il a bien dit ça!

Eh quoi, ma sœur, si triste vous aussi? Souriez-moi de cette bouche charmante! Levez ces yeux bleus que notre père aimait tant. Voyez, Jacques! Regardez votre femme, qu'elle est belle quand elle sourit!

On ne vous la prendra pas! qui serait triste quand il a pour éclairer sa maison ce petit soleil?

Aimez-nous-la bien, méchant homme! Dites-lui de prendre courage.

JACQUES HURY. — Courage, Violaine!

Vous ne m'avez pas perdu, nous ne sommes pas perdus l'un pour l'autre!

Voyez que je ne doute pas de votre amour, est-ce que vous doutez du mien davantage?

Est-ce que je doute de vous, Violaine? est-ce que je ne vous aime pas, Violaine? Est-ce que je ne suis pas sûr de vous,

Violaine?

J'ai parlé de vous à ma mère, songez qu'elle est si heureuse de vous voir.

Il est dur de quitter la maison de vos parents. Mais où vous serez vous aurez un abri sûr et que nul n'enfreindra.

Ni votre amour, ni votre innocence, chère Violaine, n'ont à craindre.

LA MÈRE. — Ce sont des paroles bien aimables.

Et cependant il y a en elles, et dans celle que
tu viens de me dire, mon enfant,
Je ne sais quoi d'étrange et qui ne me plaît pas.

MARA. — Je ne vois rien d'étrange, ma mère.

LA MÈRE. — Violaine! si je t'ai fait de la peine
tout à l'heure, mon enfant,
Oublie ce que je t'ai dit.

VIOLAINE. — Vous ne m'avez point fait de
peine.

LA MÈRE. — Laisse-moi donc t'embrasser.

(Elle lui ouvre les bras)

VIOLAINE. — Non, mère.

LA MÈRE. — Eh quoi?

VIOLAINE. — Non.

MARA. — Violaine, c'est mal! as-tu peur que
nous te touchions? pourquoi nous traites-tu ainsi
comme des lépreux?

VIOLAINE. — J'ai fait un vœu.

MARA. — Quel vœu?

VIOLAINE. — Que nul ne me touche.

MARA. — Jusqu'à ton retour ici?

(Silence. Elle baisse la tête)

JACQUES HURY. — Laissez-la. Vous voyez
qu'elle a de la peine.

LA MÈRE. — Éloignez-vous un instant.

(Ils s'éloignent)

Adieu, Violaine!

Tu ne me tromperas pas, mon enfant, tu ne tromperas pas la mère qui t'a faite.

Ce que je t'ai dit est dur, mais vois-moi qui ai bien de la peine, qui suis vieille.

Toi, tu es jeune et tu oublieras.

Mon homme est parti et voici mon enfant qui se détourne de moi.

La peine qu'on a n'est rien, mais celle qu'on a faite aux autres

Empêche de manger son pain.

Songe à cela, mon agneau sacrifié, et dis-toi : Ainsi je n'ai fait de la peine à personne.

Je t'ai conseillé ce que j'ai cru le meilleur! ne m'en veuille pas, Violaine, sauve ta sœur, est-ce qu'il faut la laisser se perdre?

Et voici le Bon Dieu avec toi qui est ta récompense.

C'est tout. Tu ne reverras plus ma vieille figure. Que Dieu soit avec toi!

Et tu ne veux pas m'embrasser, mais je puis au moins te bénir, douce, douce Violaine!

VIOLAINE. — Oui, mère! oui, mère!

(Elle s'agenouille, et LA MÈRE fait le signe de la croix au-dessus d'elle)

JACQUES HURY, *revenant*. — Venez, Violaine, il est temps.

MARA. — Va et prie pour nous.

VIOLAINE, *criant*. — Je te donne mes robes, Mara, et toutes mes affaires!

N'aie pas peur, tu sais que je n'y ai pas touché.
Je ne suis pas entrée dans cette chambre.

Ah, ah! ma pauvre robe de mariée qui était
si jolie!

> *(Elle écarte les bras comme pour cher-*
> *cher un appui. Tous demeurent éloignés*
> *d'elle. Elle sort en chancelant suivie de*
> *JACQUES)*

ACTE III

*La Marche Vers
la Vie*

SCÈNE PREMIÈRE

Le pays de Chevoche. Une grande forêt aux arbres clairsemés, composée principalement de chênes très élevés et de bouleaux, avec, au-dessous, des pins, des sapins et quelques houx. Une large percée rectiligne vient d'être pratiquée au travers du bois jusqu'à l'horizon. Des ouvriers achèvent d'enlever les troncs d'arbres et de préparer la chaussée. Campement sur le côté, avec huttes en fagots, le feu et la marmite, etc. Il se trouve dans une sablonnière où quelques ouvriers achèvent de charger de sable fin et blanc une petite charrette. Un apprenti de Pierre de Craon les surveille, accroupi dans les genêts secs.

De part et d'autre de la nouvelle route on voit deux espèces de colosses faits de fagots, avec une collerette et une souquenille de toile blanche, ayant une croix rouge sur la poitrine, un tonneau pour tête dont les bords sont découpés en dents de scie comme pour faire une couronne, avec une sorte de visage grossièrement peint en rouge; une longue trompette s'adapte à la bonde, maintenue par une planche comme par un bras.

Tombée du jour. Neige par terre et ciel de neige. C'est la veille de Noël.

LE MAIRE DE CHEVOCHE. — Voilà. Le Roi peut venir.

UN OUVRIER. — I peut venir à c't'heure. Nous ons bin fait not'part.

LE MAIRE DE CHEVOCHE, *regardant avec satisfaction*. — C'est moult beau! Aussi que tout le monde s'y est mis, tant qu'y en a, les hommes, les femmes et les tiots enfants,

Et que c'était la plus sale partie avec toutes ces mauvaisetés et ces éronces, et le marais.

C'est pas les malins de Bruyères qui nous ont fait la barbe.

UN OUVRIER. — C'est leut' chemin qu'en a, de la barbe, et les dents'core avec tous ces chicots, qu'ils ont laissés!

(Ils rient)

L'APPRENTI, *pédantesquement, d'une voix affreusement aigre et glapissante : Vox clamantis in deserto : Parate vias Domini et erunt prava in directa et aspera in vias planas.*

— C'est vrai que vous avez bien travaillé. Je vous félicite, bonnes gens. C'est comme chemin de la Fête-Dieu.

(Montrant les Géants) Et quelles sont, Messieurs, ces deux belles et révérendes personnes?

UN OUVRIER. — Sont-i pas bin beaux? C'est l'pé Vincent, le vieil ivrogne, qu'les a faits.

I dit qu'c'est le grand Roi d'Abyssinie et sa femme Bellotte.

L'APPRENTI. — Pour moi je croyais que c'était Gog et Magog.

LE MAIRE DE CHEVOCHE. — C'est les deux

Anges de Chevoche qui viennent saluer le Roi leur sire.

On y boutera le feu quand i passera.

Écoutez!

(Ils écoutent tous)

UN OUVRIER. — Oh! non, ce n'est pas encore lui. On entendrait les cloches de Bruyères sonner.

UN AUTRE. — I ne sera pas ici avant minuit. Il a soupé à Fismes.

UN AUTRE. — On s'ra bin ici pour voir. Je n'bouge mie.

UN AUTRE. — T'as à manger, Perrot? J'ai pus qu'un morceau de pain qu'est tout gelé.

LE MAIRE. — N'aie pas peur. Y a un quartier de porc dans la marmite; et des crépinettes, et le chevreuil qu'on a tué;

Et trois aunes de boudin, et des pommes, et un bon petit tonneau de vin de la Marne.

L'APPRENTI. — Je reste avec vous.

UNE FEMME. — Et qu'v'là un bon petit Noël.

L'APPRENTI. — C'est le jour de Noël que le roi Clovis fut à Rheims baptisé.

UNE AUTRE FEMME. — C'est le jour de Noël que not'roi Charles revient se faire sacrer.

UNE AUTRE. — C'est une simple fille, de Dieu envoyée,

Qui le ramène à son foyer.

UNE AUTRE. — Jeanne, qu'on l'appelle.

UNE AUTRE. — La Pucelle!

UNE AUTRE. — Qu'est née la nuit de l'Épiphanie!

UNE AUTRE. — Qui a chassé les Anglais d'Orléans qu'ils assiégeaient!

UN AUTRE. — Et qui va les chasser de France mêmement tretous! Ainsi soit-il!

UN AUTRE, *fredonnant*. — Noël! Ki Ki Ki Ki Ki Noël! Noël nouvelet! Rrr! qu'il fait froué!

(Il se serre dans son manteau)

UNE FEMME. — Faut bin regarder si qu'y aura un petit homme tout en rouge près du Roi. C'est elle.

UNE AUTRE. — Sur un grand cheval noir.

LA PREMIÈRE. — Y a six mois qu'elle gardait les vaches encore ed son pé.

UNE AUTRE. — Et maintenant elle tient une bannière où qu'y a Jésus en écrit.

UN OUVRIER. — Et qu'les Anglais se sauvent devant comme souris.

UN AUTRE. — Gare aux mauvais Bourguignons de Saponay!

UN AUTRE. — I seront tous à Rheims au petit matin.

UN AUTRE. — Quoi qu'i font les ceusses ed là-bas?

L'APPRENTI. — Les deux cloches de la cathédrale, Baudon et Baude,

Commencent à sonner au *Gloria* de Minuit, et jusqu'à l'arrivée des Français elles ne cesseront plus de badonguer.

Tout le monde garde chez lui une cire allumée jusqu'au matin.

On attend que le Roi soit là pour la messe de l'Aurore qui est *Lux fulgebit.*

Tout le clergé ira à sa rencontre, trois cents prêtres avec l'Archevêque en chapes d'or, et les réguliers, et le Maire, et la commune.

Ça sera bien beau sur la neige sous le soleil clair et gaillard et tout le peuple chantant Noël!

Et l'on dit que le Roi veut descendre de son cheval et entrer dans sa bonne ville sur un âne, comme Notre-Seigneur.

LE MAIRE. — Comment donc que vous n'êtes pas resté là-bas?

L'APPRENTI. — C'est maître Pierre de Craon qui m'a envoyé chercher du sable.

LE MAIRE. — Quoi! c'est à cela qu'il s'occupe en ce moment?

L'APPRENTI. — Il dit que le temps est court.

LE MAIRE. — Mais à quoi mieux l'employer qu'à faire cette route, comme nous autres?

L'APPRENTI. — Il dit que son métier n'est pas de faire des routes pour le Roi, mais une demeure pour Dieu.

LE MAIRE. — A quoi sert Rheims, si le Roi n'y peut aller?

L'APPRENTI. — A quoi la route, s'il n'y a pas d'église au bout?

LE MAIRE. — Ce n'est pas un bon Français...

L'APPRENTI. — Il dit qu'il ne sait rien que son métier. Celui qui parle politique chez nous, on lui noircit le nez avec le cul de la poêle.

LE MAIRE. — Il n'a pu même venir à bout de sa Justice depuis dix ans qu'on y travaille.

L'APPRENTI. — Si fait! toute la pierre est finie et la charpente est posée; il n'y a plus que la flèche qui n'a pas encore fini de pousser.

LE MAIRE. — On n'y travaille guère.

L'APPRENTI. — Le maître cherche ses vitraux et c'est pourquoi il nous envoie ici prendre du sable;
Quoique ce ne soit pas son métier,
Tout l'hiver il a travaillé au milieu de ses fourneaux.
Faire de la lumière, pauvres gens, c'est plus difficile que de faire de l'or,
Souffler sur cette lourde matière et la rendre

transparente, « selon que nos corps de boue seront
transmués en corps de gloire »,

Dit saint Paul.

Et de toutes couleurs il dit qu'il veut trouver
La couleur mère, telle que Dieu même l'a faite.

C'est pourquoi dans de grands vases purs em-
plis d'une eau éclatante

Il verse l'hyacinthe, l'outremer, l'or gras, le
vermillon,

Et regarde ces belles roses intérieures, ce que
ça fait dans le soleil et la grâce de Dieu, et comment cela tourne et s'épanouit dans le matras.

Et il dit qu'il n'y a pas une couleur qu'il ne
puisse faire tout seul avec son esprit,

Comme son corps fait du rouge et du bleu.

Car il veut que la Justice de Rheims brille comme
l'Aurore au jour de ses noces.

LE MAIRE. — On dit qu'il est lépreux.

L'APPRENTI. — Ce n'est pas vrai! Je l'ai vu
tout nu l'été dernier qui se baignait dans l'Aisne
à Soissons. Je peux le dire!

Il a la chair saine comme celle d'un enfant.

LE MAIRE. — C'est drôle tout de même. Pourquoi qu'i s'a tenu caché si longtemps?

L'APPRENTI. — C'est un mensonge!

LE MAIRE. — Je sais, je suis plus vieux que
vous. Faut pas vous fâcher, petit homme. Ça ne
fait rien qu'i soit malade ed son corps.

C'est pas d'son corps qu'i travaille.

L'APPRENTI. — Faudrait pas qu'il vous entende dire ça! Je me rappelle comment il a puni l'un de nous qui restait tout le temps dans son coin à dessiner :

Il l'a envoyé toute la journée sur les échafauds avec les maçons pour les servir et leur passer leurs auges et leurs pierres,

Disant qu'au bout de la journée il saurait deux choses ainsi mieux que par règle et par dessin : le poids qu'un homme peut porter et la hauteur de son corps.

Et de même que la grâce de Dieu multiplie chacune de nos bonnes actions.

C'est ainsi qu'il nous a enseigné ce qu'il appelle « le Sicle du Temple », et cette demeure de Dieu dont chaque homme qui fait ce qu'il peut

Avec son corps est comme un fondement secret;

Ce que sont le pouce et la main et la coudée et notre envergure et le bras étendu et le cercle que l'on fait avec,

Et le pied et le pas;

Et comment rien de tout cela n'est le même jamais.

Croyez-vous que le corps fût indifférent au père Noé quand il fit l'arche? est-ce qu'il est indifférent,

Le nombre de pas qu'il y a de la porte à l'autel, et la hauteur à laquelle il est permis à l'œil de s'élever, et le nombre d'âmes que les deux côtés de l'Église contiennent réservées?

Car l'artiste païen faisait tout du dehors, et nous faisons tout de par-dedans comme les abeilles,

Et comme l'âme fait pour le corps : rien n'est inerte, tout vit,

Tout est *action* de grâces.

LE MAIRE. — Le petit homme parle bien.

UN OUVRIER. — Écoutez-le comme une agache tout plein des paroles de son maître.

L'APPRENTI. — Parlez avec respect de Pierre de Craon!

LE MAIRE. — C'est vrai qu'il est bourgeois de Rheims et on l'appelle le Maître du Compas,

Comme autrefois on appelait Messire Loys Le Maître de la Règle.

UN AUTRE. — Jette du bois dans le feu, Perrot v'là qu'i commence à neiger.

> (*En effet. — La nuit est complètement venue. — Entre MARA, en noir, portant une espèce de paquet sous son manteau*)

MARA. — C'est ici les gens de Chevoche?

LE MAIRE. — C'est nous.

MARA. — Loué soit Jésus-Christ.

LE MAIRE. — Ainsi soit-il!

MARA. — C'est chez vous qu'est la logette du Géyn?

LE MAIRE. — Où habite la lépreuse?

MARA. — Oui.

LE MAIRE. — Ce n'est pas chez nous tout à fait, mais jouxtant.

UN AUTRE. — Vous voulez voir la lépreuse?

MARA. — Oui.

L'HOMME. — On ne peut pas la voir; elle a toujours un voile sur le voult comme c'est ordonné.

UN AUTRE. — Et bien ordonné! c'est pas moi qui ai envie de la regarder.

MARA. — Voilà longtemps que vous l'avez?

L'HOMME. — Huit ans t'à l'heure, et on voudrait bin ne pas l'avoir.

MARA. — Est-ce qu'elle a fait du mal à personne?

L'HOMME. — Non, mais tout de même c'est enguignnant à avoir près de chez soi, c'te varmine de gens.

LE MAIRE. — Et puis c'est la commune qui la nourrit.

L'HOMME. — Tiens! même qu'on a oublié de lui porter à manger depuis trois jours avec c't'affaire ed la route!

UNE FEMME. — Et quoi que vous y voulez à c'te femme?

(Elle ne répond pas et reste debout, regardant le feu)

UNE FEMME. — C'est comme qui dirait un enfant que vous t'nez dans les bras?

UNE AUTRE. — I fait bin froid pour promener les tiots enfants à c't'heure.

MARA. — Il n'a pas froid.

(Silence. On entend dans la nuit sous les arbres le bruit d'une cliquette de bois)

UNE VIEILLE FEMME. — Tenez! la v'là justement! v'là sa clique! Sainte Vierge! qué dommage qu'a soit pas morte!

UNE FEMME. — A vient demander son manger. Pas de danger qu'elle oublie!

UN HOMME. — Qué malheur d'nourrir c'te varmine.

UN AUTRE. — J'tez-lui quéqu'chose. Faut pas qu'elle approche de nous. A n'aurait qu'à nous donner la poison.

UN AUTRE. — Pas de viande, Perrot! C'est maigre, c'est la veille de Noël!

(Ils rient)

Jette-lui ce michon de pain qu'est gelé. C'est bien assez pour elle.

L'HOMME, *criant*. — Hé! Sans-figure! Hé, Jeanne, que je dis! hé là, la d'vourée!

> *(On voit la forme noire de la Lépreuse sur la neige. MARA la regarde)*

Attrape!

> *(Il lui jette à toute volée un morceau de pain. Elle se baisse et le ramasse, puis s'éloigne. MARA se met en marche pour la suivre)*

UN HOMME. — Où qu'elle va?

UN AUTRE. — Eh bin la femme! holà! où que vous allez, quoi que vous faites?

> *(Elles s'éloignent)*

SCÈNE II

Elles s'enfoncent au travers de la forêt, laissent leurs vestiges dans la neige. Il se fait une éclaircie. La lune brillant au milieu d'un immense halo éclaire une butte toute couverte de bruyères et de sable blanc. Des pierres monstrueuses, des grès aux formes fantastiques s'en détachent. Ils ressemblent aux bêtes des âges fossiles, à des monuments inexplicables, à des idoles ayant mal poussé leurs têtes et leurs membres. Et la Lépreuse conduit MARA à la caverne qu'elle habite, une espèce de couloir bas où l'on ne peut se tenir qu'assis : le fond est fermé sauf une ouverture pour la fumée.

Noël

SCÈNE III

VIOLAINE. — Qui est ici,
Qui n'a pas craint d'unir ses pas à ceux de la
Lépreuse?
Et sachez que son voisinage est un danger et
son haleine pernicieuse.

MARA. — C'est moi, Violaine.

VIOLAINE. — O voix depuis longtemps inen-
tendue! Est-ce vous, ma mère?

MARA. — C'est moi, Violaine.

VIOLAINE. — C'est votre voix et une autre.
Laissez-moi allumer ce feu, car il fait très froid
Et cette torche aussi.

> *(Elle allume un feu de tourbe et de bruyère,
> au moyen de braises conservées dans un
> pot, puis la torche)*

MARA. — C'est moi, Violaine, Mara, ta sœur.

VIOLAINE. — Chère sœur, salut! Que c'est
bien d'être venue! Mais ne me crains-tu point?

MARA. — Je ne crains rien au monde.

VIOLAINE. — Que ta voix est devenue sem-
blable à celle de Maman!

MARA. — Violaine, notre chère mère n'est plus.

(Silence)

VIOLAINE. — Quand est-elle morte?

MARA. — Ce mois même après ton départ.

VIOLAINE. — Ignorant tout?

MARA. — Je ne sais.

VIOLAINE. — Pauvre Maman! Dieu ait son âme!

MARA. — Et le père n'est pas revenu encore.

VIOLAINE. — Et vous deux?

MARA. — Cela va bien.

VIOLAINE. — Tout va comme vous le voulez à la maison?

MARA. — Tout va bien.

VIOLAINE. — Je sais qu'il ne peut en être autrement
Avec Jacques et toi.

MARA. — Tu verrais ce que nous avons fait! Nous avons trois charrues de plus. Tu ne reconnaîtrais pas Combernon.
Et nous allons abattre ces vieux murs,
Maintenant que le Roi est revenu.

VIOLAINE. — Et vous êtes heureux ensemble, Mara?

MARA. — Oui. Nous sommes heureux. Il m'aime
Comme je l'aime.

VIOLAINE. — Loué soit Dieu.

MARA. — Violaine!
Tu ne vois pas ce que je tiens entre mes bras?

VIOLAINE. — Je ne vois pas.

MARA. — Lève donc ce voile.

VIOLAINE. — J'en ai sous celui-là un autre.

MARA. — Tu ne vois plus?

VIOLAINE. — Je n'ai plus d'yeux.
L'âme seule tient dans le corps péri.

MARA. — Aveugle!
Comment donc marches-tu si droit?

VIOLAINE. — J'entends.

MARA. — Qu'entends-tu?

VIOLAINE. — Les choses exister avec moi.

MARA, *profondément*. — Et moi, Violaine, m'entends-tu?

VIOLAINE. — Dieu m'a donné l'intelligence
Qui est avec nous tous en même temps.

MARA. — M'entends-tu, Violaine?

VIOLAINE. — Ah, pauvre Mara!

MARA. — M'entends-tu, Violaine?

VIOLAINE. — Que veux-tu de moi, chère sœur?

MARA. — Louer ce Dieu avec toi qui t'a faite pestiférée.

VIOLAINE. — Louons-le donc, en cette veille de sa Nativité.

MARA. — Il est facile d'être une sainte quand la lèpre nous sert d'appoint.

VIOLAINE. — Je ne sais, ne l'étant point.

MARA. — Il faut bien se tourner vers Dieu quand le reste n'est plus là.

VIOLAINE. — Lui du moins ne manquera pas.

MARA, *doucement*. — Peut-être, qui le sait, Violaine, dis?

VIOLAINE. — La vie manque et non point la mort où je suis.

MARA. — Hérétique! es-tu sûre de ton salut?

VIOLAINE. — Je le suis de sa bonté, qui a pourvu.

MARA. — Nous en voyons les arrhes.

VIOLAINE. — J'ai foi en Dieu qui m'a fait ma part.

MARA. — Que sais-tu de lui qui est invisible et que rien ne manifeste?

VIOLAINE. — Il ne l'est pas devenu plus pour moi que n'est le reste.

MARA, *ironiquement*. — Il est avec toi, petite colombe, et Il t'aime?

VIOLAINE. — Comme avec tous les misérables, Lui-même.

MARA. — Certes son amour est grand!

VIOLAINE. — Comme celui du feu pour le bois quand il prend.

MARA. — Il t'a durement châtiée.

VIOLAINE. — Pas plus que je ne l'avais mérité.

MARA. — Et déjà celui à qui tu avais livré ton corps t'a oubliée.

VIOLAINE. — Je n'ai pas livré mon corps!

MARA. — Douce Violaine! menteuse Violaine! ne t'ai-je point vue tendrement embrasser Pierre de Craon ce matin d'un beau jour de juin?

VIOLAINE. — Tu as vu tout et il n'y a rien d'autre.

MARA. — Pourquoi donc le baisais-tu si précieusement?

VIOLAINE. — Le pauvre homme était lépreux et moi, j'étais si heureuse ce jour-là!

MARA. — En toute innocence, n'est-ce pas?

VIOLAINE. — Comme une petite fille qui embrasse un pauvre petit garçon.

MARA. — Dois-je le croire, Violaine?

VIOLAINE. — C'est vrai.

MARA. — Ne dis donc point que c'est de ton gré que tu m'as laissé Jacques.

VIOLAINE. — Non, ce n'est pas de mon gré, je l'aimais! Je ne suis pas si bonne.

MARA. — Fallait-il qu'il t'aimât encore, étant lépreuse?

VIOLAINE. — Je ne l'attendais pas.

MARA. — Qui aimerait une lépreuse?

VIOLAINE. — Mon cœur est pur!

MARA. — Mais qu'est-ce que Jacques en savait? Il te tient criminelle.

VIOLAINE. — Notre mère m'avait dit que tu l'aimais.

MARA. — Ne dis point que c'est elle qui t'a rendue lépreuse.

VIOLAINE. — Dieu m'a prévenue de sa grâce.

MARA. — De sorte que quand la mère t'a parlé...

VIOLAINE. — ...C'était Lui-même encore que j'entendais.

MARA. — Mais pourquoi te laisser croire parjure?

VIOLAINE. — N'aurais-je donc rien fait de mon côté?

Pauvre Jacquin! Fallait-il lui laisser aucun regret
de moi?

MARA. — Dis que tu ne l'aimais point.

VIOLAINE. — Je ne l'aimais point, Mara?

MARA. — Mais moi, je ne l'aurais pas ainsi
lâché!

VIOLAINE. — Est-ce moi qui l'ai lâché?

MARA. — Mais moi, je serais morte!

VIOLAINE. — Est-ce que je suis vivante?

MARA. — Maintenant je suis heureuse avec
lui.

VIOLAINE. — Paix sur vous!

MARA. — Et je lui ai donné un enfant, Violaine! une chère petite fille. Une douce petite
fille.

VIOLAINE. — Paix sur vous!

MARA. — Notre joie est grande. Mais la tienne
l'est davantage avec Dieu.

VIOLAINE. — Et moi aussi j'ai connu la joie
il y a huit ans et mon cœur en était ravi,

Tant, que je demanderai follement à Dieu, ah!
qu'elle dure et ne cesse jamais!

Et Dieu m'a étrangement écoutée! Est-ce que
ma lèpre guérira? Non pas, autant qu'il y aura
une parcelle de chair mortelle à dévorer.

Est-ce que l'amour en mon cœur guérira? Jamais, tant qu'il y aura une âme immortelle à lui fournir aliment.

Est-ce que ton mari te connaît, Mara?

MARA. — Quel homme connaît une femme?

VIOLAINE. — Heureuse qui peut être connue à fond et se donner tout entière.

Jacques, tout ce que je pouvais donner, qu'en aurait-il fait?

MARA. — Tu as transféré à Un Autre ta foi?

VIOLAINE. — L'amour a fait la douleur et la douleur a fait l'amour.

Le bois où l'on a mis le feu ne donne pas de la cendre seulement mais une flamme aussi.

MARA. — A quoi sert cet aveugle qui ne donne aux autres
Lumière ni chaleur?

VIOLAINE. — N'est-ce pas déjà beaucoup qu'il me serve?

Ne reproche pas cette lumière à la créature calcinée
Visitée jusque dans ses fondations, qui la fait voir en elle-même!

Et si tu passais une seule nuit dans ma peau tu ne dirais pas que ce feu n'a pas de chaleur.

Le mâle est prêtre, mais il n'est pas défendu à la femme d'être victime.

Dieu est avare et ne permet qu'aucune créature soit allumée,

Sans qu'un peu d'impureté s'y consume,
La sienne ou celle qui l'entoure, comme la braise
de l'encensoir qu'on attise!

Et certes le malheur de ce temps est grand.

Ils n'ont point de père. Ils regardent et ne savent
plus où est le Roi et le Pape.

C'est pourquoi voici mon corps en travail à la
place de la chrétienté qui se dissout.

Puissante est la souffrance quand elle est aussi
volontaire que le péché!

Tu m'as vue baiser ce lépreux, Mara? Ah, la
coupe de la douleur est profonde,

Et qui y met une fois la lèvre ne l'en retire plus
à son gré!

MARA. — Prends donc aussi la mienne avec
toi!

VIOLAINE. — Je l'ai déjà prise.

MARA. — Violaine! s'il y a encore quelque
chose de vivant et qui est ma sœur sous ce voile
et cette forme anéantie,

Souviens-toi que nous avons été des enfants
ensemble! aie pitié de moi!

VIOLAINE. — Parle, chère sœur. Aie confiance! Dis tout!

MARA. — Violaine, je suis une infortunée, et
ma douleur est plus grande que la tienne!

VIOLAINE. — Plus grande, sœur?

(MARA avec un grand cri ouvrant son

*manteau et levant au bout de ses bras
le cadavre d'un petit enfant)*

Regarde! prends-le!

VIOLAINE. — Qu'est-ce que c'est?

MARA. — Regarde, je te dis! Prends-le! Prends-
le, je te le donne.

(Elle lui met le cadavre dans les bras)

VIOLAINE. — Ah, je sens un petit corps raide!
une pauvre petite figure glacée!

MARA. — Ha! ha! Violaine! Mon enfant! ma
petite fille!
C'est sa petite figure si douce! c'est son pauvre
petit corps!

VIOLAINE, *à voix basse.* — Morte, Mara?

MARA. — Prends-la, je te la donne!

VIOLAINE. — Paix, Mara!

MARA. — Ils voulaient me l'arracher, mais moi
je ne me la suis pas laissé prendre! et je me suis
sauvée avec elle.
Mais toi, prends-la, Violaine! Tiens, prends-la,
tu vois, je te la donne.

VIOLAINE. — Que veux-tu que je fasse, Mara?

MARA. — Ce que je veux que tu fasses? ne
m'entends-tu pas?
Je te dis qu'elle est morte! je te dis qu'elle est
morte!

VIOLAINE. — Son âme vit en Dieu. Elle suit l'Agneau. Elle est avec les bienheureuses petites filles.

MARA. — Mais elle est morte pour moi!

VIOLAINE. — Tu me donnes bien son corps! donne le reste à Dieu.

MARA. — Non! non! non! tu ne me donneras point le change avec tes paroles de béguine! Non, je ne me laisserai point apaiser.

Ce lait qui me cuit aux seins, il crie vers Dieu comme le sang d'Abel!

Est-ce que j'ai cinquante enfants à m'arracher du corps? est-ce que j'ai cinquante âmes à m'arracher de la mienne?

Est-ce que tu sais ce que c'est que de se déchirer en deux et de mettre au-dehors ce petit être qui crie?

Et la sage-femme m'a dit que je n'enfanterai plus.

Et quand j'aurais cent enfants, ce ne serait pas ma petite Aubaine.

VIOLAINE. — Accepte, soumets-toi.

MARA. — Violaine, tu le sais, j'ai la tête dure. Je suis celle qui ne se rend pas et qui n'accepte rien.

VIOLAINE. — Pauvre sœur!

MARA. — Violaine, c'est si doux, ces petits, et

cela fait si mal, cette cruelle petite bouche, quand elle vous mord dedans !

VIOLAINE, *caressant le visage*. — Comme son petit visage est froid!

MARA, *à voix basse*. — Il ne sait rien encore.

VIOLAINE, *de même*. — Il n'était pas à la maison?

MARA. — Il est à Rheims pour vendre son blé. Elle est morte tout d'un coup, en deux heures.

VIOLAINE. — A qui ressemblait-elle?

MARA. — A lui, Violaine. — Elle n'est pas seulement de moi, elle est de lui aussi. Ses yeux seulement sont les miens.

VIOLAINE. — Pauvre Jacquin!

MARA. — Ce n'est pas pour t'entendre dire : Pauvre Jacquin! que je suis venue ici.

VIOLAINE. — Que veux-tu donc de moi?

MARA. — Violaine, veux-tu voir cela? Dis! sais-tu ce que c'est qu'une âme qui se damne?
De sa propre volonté pour le temps éternel?
Sais-tu ce qu'il y a dans le cœur quand on blasphème pour de bon?
J'ai un diable, pendant que je courais, qui me chantait une petite chanson.
Veux-tu entendre ces choses qu'il m'a apprises?

VIOLAINE. — Ne dis pas ces choses affreuses!

MARA. — Rends-moi donc mon enfant que je t'ai donné!

VIOLAINE. — Tu ne m'as donné qu'un cadavre.

MARA. — Et toi, rends-le-moi vivant!

VIOLAINE. — Mara! qu'oses-tu dire?

MARA. — Je n'accepte pas que mon enfant soit mort.

VIOLAINE. — Est-ce qu'il est en mon pouvoir de ressusciter les morts?

MARA. — Je ne sais, je n'ai que toi à qui je puisse avoir recours.

VIOLAINE. — Est-ce qu'il est en mon pouvoir de ressusciter les morts comme Dieu?

MARA. — A quoi est-ce que tu sers alors?

VIOLAINE. — A souffrir et à supplier!

MARA. — Mais à quoi est-ce qu'il sert de souffrir et de supplier si tu ne me rends pas mon enfant?

VIOLAINE. — Dieu le sait, à qui c'est assez que je le serve.

MARA. — Mais moi, je suis sourde et je n'entends pas! et je crie vers toi de la profondeur où je suis! Violaine! Violaine!

Rends-moi cet enfant que je t'ai donné! Eh bien! je cède, je m'humilie! aie pitié de moi!

Aie pitié de moi, Violaine! et rends-moi cet enfant que tu m'as pris.

VIOLAINE. — Celui-là qui l'a pris peut le rendre!

MARA. — Rends-le-moi donc. Ah! je sais que tout cela est ta faute.

VIOLAINE. — Ma faute?

MARA. — Soit, non,
La mienne, pardonne-moi! Mais rends-le-moi, ma sœur!

VIOLAINE. — Mais tu vois qu'il est mort.

MARA. — Tu mens! il n'est pas mort! Ah! fillasse, ah, cœur de brebis! ah, si j'avais accès comme toi à ton Dieu,
Il ne m'arracherait pas mes petits si facilement!

VIOLAINE. — Demande-moi de recréer le ciel et la terre!

MARA. — Mais il est écrit que tu peux souffler sur cette montagne et la jeter dans la mer.

VIOLAINE. — Je le puis, si je suis une sainte.

MARA. — Il faut être une sainte quand une misérable te supplie.

VIOLAINE. — Ah! suprême tentation!
Je jure, et je déclare, et je proteste devant Dieu que je ne suis pas une sainte!

MARA. — Rends-moi donc mon enfant!

VIOLAINE. — Mon Dieu, vous voyez mon cœur!

Je jure et je proteste devant Dieu que je ne suis pas une sainte!

MARA. — Violaine, rends-moi mon enfant!

VIOLAINE. — Pourquoi ne me laisses-tu pas en paix? pourquoi viens-tu ainsi me tourmenter dans ma tombe?

Est-ce que je vaux quelque chose? est-ce que je dispose de Dieu? est-ce que je suis comme Dieu?

C'est Dieu même que tu me demandes de juger seulement.

MARA. — Je ne te demande que mon enfant seulement.

(Pause)

VIOLAINE, *levant le doigt.* — Écoute.

(Silence. Cloches au loin presque imperceptibles)

MARA. — Je n'entends rien.

VIOLAINE. — Ce sont les cloches de Noël, les cloches qui nous annoncent la messe de Minuit! O Mara, un petit enfant nous est né!

MARA. — Rends-moi donc le mien.

(Trompettes dans l'éloignement)

VIOLAINE. — Qu'est cela?

MARA. — C'est le Roi qui va-t-à Rheims. N'as-

tu point entendu de cette route que les paysans
taillaient tout au travers de la forêt?

(Et cela fait aussi du bois pour eux.)

C'est une petite pastourelle qui le conduit, par
le milieu de la France

A Rheims pour qu'il s'y fasse sacrer.

VIOLAINE. — Loué soit Dieu qui fait ces
grandes choses!

(Les cloches de nouveau, très claires)

MARA. — Comme les cloches sonnent le *Gloria!*
Le vent porte sur nous. Il y a trois villages à la
fois qui sonnent.

VIOLAINE. — Prions avec tout l'univers! Tu
n'as pas froid, Mara?

MARA. — Je n'ai froid qu'au cœur.

VIOLAINE. — Prions. Voici longtemps que
nous avons fait Noël ensemble.

Ne crains point. J'ai pris ta douleur avec moi.
Regarde! et ce que tu m'as donné est caché sur
mon cœur avec moi.

Ne pleure point! Ce n'est pas le moment de pleurer, quand le salut de tous les hommes est déjà né.

(Cloches au loin, moins distinctes)

MARA. — Il ne neige plus et les étoiles brillent.

VIOLAINE. — Regarde! vois-tu ce livre?

Le prêtre qui vient me visiter de temps en temps
l'a laissé ici.

MARA. — Je le vois.

VIOLAINE. — Prends-le, veux-tu? et lis-moi l'Office de Noël, la première leçon de chacun des trois Nocturnes.

MARA *prend le livre et lit :*

PROPHÉTIE D'ISAIE

Au premier temps fut allégée la terre de Zabulon et la terre de Nephtali, et au dernier fut aggravée la voie de la mer au delà du Jourdain de la Galilée des Nations. Le peuple qui marchait dans les ténèbres a vu une grande lumière; ceux qui habitaient dans la région de l'ombre de la mort la lumière leur est née. Nous avez multiplié le peuple et vous n'avez pas augmenté la joie. Ils se réjouiront en Votre présence comme au milieu d'une moisson, comme exultent les vainqueurs sur la proie qui est prise, quand ils se partagent les dépouilles. Le joug en effet de son fardeau, et la verge sur son épaule, et le sceptre de son tyran, vous avez tout surmonté comme au jour de Madian. Toute la curée violente en tumulte et le vêtement mêlé de sang seront donnés en combustion et l'aliment du feu. Car un tout-petit nous est né et la principauté a été placée sur son épaule, et son nom sera appelé Admirable, Conseiller, Dieu, Fort, Père du siècle futur, Prince de la Paix!

VIOLAINE, *levant le visage.* — Écoute!

(Silence)

VOIX DES ANGES *dans le ciel, perçue de la seule VIOLAINE :*

CHŒUR[1]. — *Hodie nobis de caelo pax vera descendit, hodie per totum mundum mellifluli facti sunt caeli.*

VOIX SEULE[2]. — *Hodie illuxit nobis dies redemptionis novea, reparationis antiquae, felicitatis aeternae.*

CHŒUR. — *Hodie per totum mundum mellifluli facti sunt caeli.*

(VIOLAINE lève le doigt. — Silence. — Mara écoute et regarde avec inquiétude)

MARA. — Je n'entends rien.

VIOLAINE. — Poursuis, Mara.

MARA, *reprenant sa lecture :*

SERMON DE SAINT LÉON PAPE

Notre Sauveur, mes bien-aimés, est né en ce jour-ci : soyons joyeux. Et en effet il n'est ouverture à la tristesse, quand c'est le jour natal de la

---

1. Voix de jeunes gens héroïques chantant d'une manière grave à l'unisson, avec ralentissement et cadence très simple sur la fin des phrases.
2. Comme d'un enfant.

134

vie : qui, la crainte consumée de la mort met en nous la joie de l'éternité promise. Nul d'une part à cette allégresse n'est exclu. Une même raison de liesse est à tous commune : puisque Notre-Seigneur, destructeur du péché et de la mort, comme il n'a trouvé personne exempt de faute, est venu pour délivrer tout le monde. Que le saint exulte parce que sa palme est proche; que le pécheur se réjouisse...

(Sonnerie éclatante et prolongée de trompettes, toute proche. — Grands cris au travers de la forêt)

MARA. — Le Roi! Le Roi de France!

(De nouveau et une fois encore sonnerie des trompettes indiciblement déchirante, solennelle et triomphale)

MARA, *à voix basse.* — Le Roi de France qui va-t-à Rheims!

(Silence)

Violaine!

(Silence)

M'entends-tu, Violaine?

(Silence. — Elle reprend sa lecture)

...Que le pécheur se réjouisse à cause qu'il est invité au pardon! Que le Gentil espère parce qu'il est invité à la vie! Car le Fils de Dieu selon la plénitude de ce temps que l'inscrutable profondeur du divin conseil a disposée, pour la réconcilier à son auteur, s'est revêtu de la nature de la race humaine, afin que cet inventeur de la mort, le diable, par celle qu'il avait vaincue fût à son tour subjugué.

VOIX DES ANGES, *entendue de la seule VIO-LAINE, comme précédemment :*

CHŒUR. — *O magnum mysterium et admirabile sacramentum ut animalia viderent Dominum natum jacentem in praesepio! Beata Virgo cujus viscera meruerunt portare Dominum Christum.*

VOIX SEULE. — *Ave, Maria, gratia plena, Dominus tecum.*

CHŒUR. — *Beata Virgo cujus viscera meruerunt portare Dominum Christum.*

(Pause)

MARA. — Violaine, je ne suis pas digne de lire ce livre!

Violaine, je sais que je suis trop dure et j'en ai regret : je voudrais être autrement.

VIOLAINE. — Lis, Mara. Tu ne sais qui chante le répons.

(Silence)

MARA, *avec un effort, reprenant le livre, d'une voix tremblante :*

LECTURE DU SAINT ÉVANGILE SELON SAINT LUC

(Elles se lèvent toutes deux)

En ce temps-là l'édit fut issu de César Auguste

que toute la terre fût mise par écrit. Et le reste.

(Elles s'assoient)

HOMÉLIE DE SAINT GRÉGOIRE PAPE

(Elle s'arrête, vaincue par l'émotion. —
Les trompettes sonnent une dernière fois
au loin)

MARA. — Pour ce que, par la grâce de Dieu, nous devons aujourd'hui trois fois célébrer les solennités de la messe, nous ne pouvons longtemps parler sur l'évangile qui vient d'être lu. Cependant la naissance même de notre Rédempteur nous oblige à vous adresser au moins quelques paroles. Pourquoi au moment de cette naissance se fait-il un dénombrement de l'univers, sinon pour claire-ment manifester que celui-là apparaissait dans la chair qui ferait recensement de ses élus pour l'éter-nité? Au contraire le Prophète dit des méchants : Ils seront effacés du livre des vivants et ils ne se-ront point écrits au nombre des justes. Il est bien aussi que ce soit Bethléem où il naisse. Bethléem en effet veut dire « Maison du pain » et Jésus-Christ dit de lui-même : Je suis le pain vivant qui suis descendu du ciel. Le lieu donc où Notre-Sei-gneur naît avait été appelé dès auparavant Maison du pain, afin qu'y apparût dans la substance de la chair celui qui devait repaître les cœurs d'une in-terne satiété. Il naît, non dans la maison de ses parents mais sur la route, afin sans doute de montrer que, par l'humanité qu'il revêt, il naît ainsi qu'en lieu étranger.

VOIX DES ANGES :

CHŒUR. — Beata viscera Mariae Virginis quae portaverunt aeterni Patris Filium; et beata ubera quae lactaverunt Christum Dominum. Qui hodie pro salute mundi de Virgine nasci dignatus est.

VOIX SEULE. — Dies sanctificatus illuxit nobis, venite, gentes, et adorate Dominum.

CHŒUR. — Qui hodie pro salute mundi de Virgine nasci dignatus est.

(Long silence)

VOIX DES ANGES *de nouveau, presque imperceptible :*

CHŒUR. — Verbum caro factum est et habitavit in nobis; et vidimus gloriam ejus, gloriam quasi Unigeniti a Patre, plenum gratiae et veritatis.

VOIX SEULE. — Omnia per ipsum facta sunt et sine ipso factum est nihil.

CHŒUR. — Et vidimus gloriam ejus, gloriam quasi Unigeniti a Patre, plenum gratiae et veritatis.

VOIX SEULE. — Gloria Patri et Filio et Spiritui Sancto.

CHŒUR. — Et vidimus gloriam ejus, gloriam quasi Unigeniti a Patre, plenum gratiae et veritatis.

(Long silence)

VIOLAINE, *soudain poussant un cri étouffé.* — Ah!

MARA. — Qu'y a-t-il?

> *(De la main elle lui fait signe de se taire.*
> *— Silence. — Les premières lueurs du*
> *jour apparaissent.*
> *Violaine met la main sous son manteau*
> *comme quelqu'un qui referme son*
> *vêtement)*

MARA. — Violaine, je vois un mouvement sous ton manteau!

VIOLAINE, *comme se réveillant peu à peu.* — Est-ce toi, Mara? Bonjour, sœur. Je sens sur ma face le souffle du jour qui naît.

MARA. — Violaine! Violaine! est-ce toi qui remues le bras ainsi! Je vois ce mouvement encore.

VIOLAINE. — Paix, Mara, voici le jour de Noël où toute joie est née!

MARA. — Quelle joie y a-t-il pour moi sinon que mon enfant vive?

VIOLAINE. — Et nous aussi un petit enfant nous est né!

MARA. — Au nom du Dieu vivant, que dis-tu là?

VIOLAINE. — « Voici que je vous annonce une grande joie... »

MARA. — Je vois le manteau qui bouge de nouveau!

> *(On voit un petit pied nu d'enfant qui apparaît dans l'ouverture du manteau, remuant paresseusement)*

VIOLAINE. — « ...Parce qu'un homme est apparu dans le monde! »

> *(MARA tombe à genoux, poussant un profond soupir, le front sur les genoux de sa sœur. VIOLAINE lui caresse le visage de la main)*

VIOLAINE. — Pauvre sœur! elle pleure. Elle a eu trop de peine aussi.

> *(Silence. Elle la baise sur la tête)*

Prends, Mara! Veux-tu me laisser toujours cet enfant?

MARA. *(Elle prend l'enfant de dessous le manteau et le regarde passionnément.)* — Il vit!

VIOLAINE. *(Elle sort et fait quelques pas sur la bruyère. On voit sous les premiers rayons d'une aurore glacée, d'abord des arbres, pins et bouleaux, vêtus de givre, puis, au bout d'une plaine immense et couverte de neige, toute petite, au haut d'une colline et bien dessinée dans l'air pur, la silhouette aux cinq tours de Monsanvierge.)* — Gloire à Dieu.

MARA. — Il vit!

VIOLAINE. — Paix aux hommes sur la terre!

MARA. — Il vit! Il vit!

VIOLAINE. — Il vit et nous vivons.
Et la face du Père apparaît sur la terre renaissante et consolée.

MARA. — Mon enfant vit.

VIOLAINE, *levant le doigt.* — Écoute!

> *(Silence)*

J'entends l'Angélus qui sonne à Monsanvierge.

> *(Elle se signe et prie. — L'enfant se réveille)*

MARA, *à voix très basse.* — C'est moi, Aubaine,
me reconnais-tu?

> *(L'enfant s'agite et geint)*

Quoi qu'i gnia, ma joie? quoi qu'i gnia, mon
trésor?

> *(L'enfant ouvre les yeux, regarde sa mère et se met à pleurer. MARA le regarde attentivement)*

Violaine!
Qu'est-ce que cela veut dire? Ses yeux étaient
noirs,
Et maintenant ils sont devenus bleus comme les
tiens.

> *(Silence)*

Ah!
Et quelle est cette goutte de lait que je vois sur
ses lèvres?

ACTE IV

SCÈNE PREMIÈRE

La nuit. La salle du premier acte, déserte. Une lampe est posée sur la table. La porte sur l'extérieur est à demi ouverte.

MARA entre, venant du dehors, et referme la porte avec précaution. Elle se tient un instant immobile au milieu de la pièce, tournée vers la porte, tendant l'oreille.

Puis elle prend la lampe et sort par une autre porte sans aucun bruit.

La scène reste dans l'obscurité. On ne voit que le feu d'une braise dans l'âtre.

SCÈNE II

Son d'une corne au loin une et deux fois. Appels. Agitation dans la ferme. Puis le bruit de portes qui s'ouvrent et d'une charrette grinçante qui se rapproche. On frappe à grands coups.

VOIX AU-DEHORS, *criant.* — Ohé!

> (*Bruit à l'étage supérieur d'une fenêtre qui s'ouvre*)

VOIX DE JACQUES HURY. — Qui va là?

VOIX AU-DEHORS. — Ouvrez!

VOIX DE JACQUES HURY. — Que voulez-vous?

VOIX AU-DEHORS. — Ouvrez!

VOIX DE JACQUES HURY. — Qui êtes-vous?

VOIX AU-DEHORS. — Ouvrez, que l'on vous dit!

(Pause)

(JACQUES HURY, un flambeau à la main, pénètre dans la pièce; il ouvre. Au bout d'un moment entre PIERRE DE CRAON, portant un corps de femme enveloppé entre ses bras. Il le dépose avec précaution sur la table. Puis il se redresse.

Les deux hommes se regardent face à face à la lumière de la chandelle)

PIERRE DE CRAON. — Jacques Hury, ne me reconnaissez-vous point?

JACQUES HURY. — Pierre de Craon?

PIERRE DE CRAON. — C'est moi.

(Ils se regardent)

JACQUES HURY. — Et qu'est-ce que vous m'apportez ici?

PIERRE DE CRAON. — Je l'ai trouvée à demi enterrée dans ma sablonnière, là où je vais chercher ce qu'il faut

Pour mes fours à verre et mêmement le mortier,

A demi enfouie sous une grande charretée de sable, sous une charrette mise à cul dont on avait retiré le tacot.

Elle vit encore. C'est moi qui ai pris sur moi de vous la mener

Ici.

JACQUES HURY. — Pourquoi ici?

PIERRE DE CRAON. — Qu'elle meure du moins sous le toit de son père!

JACQUES HURY. — Il n'y a de toit ici que le mien.

PIERRE DE CRAON. — Jacques, voici Violaine.

JACQUES HURY. — Je ne connais point de Violaine.

PIERRE DE CRAON. — N'avez-vous rien entendu

De la Lépreuse de Chevoche?

JACQUES HURY. — Que m'importe?

Vous autres lépreux, raclez-vous vos ulcères les uns aux autres.

PIERRE DE CRAON. — Je ne suis plus lépreux, il y a déjà longtemps que je suis guéri.

JACQUES HURY. — Guéri?

PIERRE DE CRAON. — Le mal d'année en année s'est réduit et je suis sain de nouveau.

JACQUES HURY. — Et celle-ci aussi va être guérie dans un moment.

PIERRE DE CRAON. — Vous êtes plus lépreux qu'elle et moi.

JACQUES HURY. — Mais je ne demande pas
qu'on me dérange de mon trou à sable.

PIERRE DE CRAON. — Et même si elle avait
fait le mal, vous devriez vous souvenir.

JACQUES HURY. — Est-ce vrai qu'elle vous
a embrassé sur la bouche?

PIERRE DE CRAON, *la regardant*. — C'est
vrai, pauvre enfant!

JACQUES HURY. — Elle bouge, je la vois qui
se ranime.

PIERRE DE CRAON. — Je vous laisse avec
elle.

(Il sort)

SCÈNE III

*(JACQUES HURY s'assied près de la table et
regarde VIOLAINE en silence)*

VIOLAINE, *se ranimant et étendant la main*. —
Où suis-je, et qui est là?

JACQUES HURY. — A Monsanvierge, et c'est
moi qui suis près de vous.

(Pause)

148

VIOLAINE, *avc l'accent d'autrefois.* — Bonjour, Jacques!

(*Silence*)

Jacques, vous m'en voulez donc encore?

JACQUES HURY. — La blessure n'est pas fermée.

VIOLAINE. — Pauvre garçon!
Et moi aussi n'ai-je pas souffert un peu?

JACQUES HURY. — Qui vous a pris de baiser ce lépreux sur la bouche?

VIOLAINE. — Jacques! il faut bien vite me faire tous ces reproches que vous avez sur le cœur et que ce soit fini.

Car nous avons autre chose à dire encore,

Et je veux encore une fois entendre de vous ces mots que j'ai tant aimés : *Chère Violaine! Douce Violaine!*

Car le temps qui me reste avec vous est court.

JACQUES HURY. — Je n'ai rien de plus à vous dire.

VIOLAINE. — Venez ici, méchant homme!

(*Il s'approche du lit*)

Plus près de moi encore.

(*Elle lui prend la main et l'attire. Il s'agenouille à son côté gauchement*)

Jacques, il faut me croire. Je le jure devant Dieu qui nous voit!

Je n'ai point fait le mal avec Pierre de Craon.

JACQUES HURY. — Pourquoi donc l'avez-vous embrassé?

VIOLAINE. — Ah, il était si triste et j'étais si heureuse!

JACQUES HURY. — Je ne vous crois pas.

(Elle lui met la main un moment sur la tête)

VIOLAINE. — Est-ce que vous me croyez à présent?

(Il se cache le visage dans sa robe et sanglote sourdement)

JACQUES HURY. — Ah, Violaine! cruelle Violaine!

VIOLAINE. — Non point cruelle, mais douce, douce Violaine!

JACQUES HURY. — Il est donc vrai? oui, c'est moi seul que vous aimiez?

(Silence. Elle lui donne son autre main)

VIOLAINE. — Jacques, sans doute c'était trop beau et nous aurions été trop heureux.

JACQUES HURY. — Vous m'avez cruellement trompé!

VIOLAINE. — Trompé? non, cette fleur d'argent à mon côté ne mentait pas.

JACQUES HURY. — Que pouvais-je croire, Violaine?

VIOLAINE. — Si vous aviez cru en moi,
Qui sait si vous ne m'auriez pas guérie?

JACQUES HURY. — Ne devais-je pas croire
à mes yeux?

VIOLAINE. — Il est vrai. Vous deviez croire à
vos yeux, cela est juste.

On n'épouse pas une lépreuse. On n'épouse pas
une infidèle.

Ne regrette rien, Jacques. Va, cela est mieux
ainsi.

JACQUES HURY. — Vous saviez que Mara
m'aimait?

VIOLAINE. — Je le savais. Ma mère même me
l'avait dit.

JACQUES HURY. — Ainsi tout s'est ligué avec
elle contre moi!

VIOLAINE. — Jacques, il y a déjà assez de
douleur au monde.

Il vaut mieux ne pas être la cause d'une grande
douleur aux autres, le voulant.

JACQUES HURY. — Que faites-vous de la
mienne?

VIOLAINE. — C'est autre chose, Jacques. N'es-
tu pas content d'être avec moi?

JACQUES HURY. — Oui, Violaine.

VIOLAINE. — Où je suis il y a patience, pas
douleur.

(Silence)

Celle du monde est grande.

Il est trop dur de souffrir et de ne savoir à quoi bon.

Mais ce que d'autres ne savent pas, je l'ai appris et je veux que tu le saches avec moi.

Jacques, est-ce que nous n'avons pas été séparés encore assez longtemps? est-ce que nous tolérerons encore cet obstacle entre nous? Est-ce qu'il faut que la mort encore nous sépare?

Tout ce qui doit périr, c'est cela qui est malade, et tout cela qui ne doit pas périr, c'est cela qui souffre.

Heureux celui qui souffre et qui sait à quoi bon! Maintenant ma tâche est finie.

JACQUES HURY. — La mienne commence.

VIOLAINE. — Hé quoi! trouves-tu cette coupe si amère où j'ai bu?

JACQUES HURY. — Voici que je vous ai perdue à jamais!

VIOLAINE. — Dis-moi, pourquoi perdue?

JACQUES HURY. — Tu meurs!

VIOLAINE. — Jacques, comprends-moi!

A quoi sert le meilleur parfum dans un vase qui est fermé? il ne sert pas.

JACQUES HURY. — Non, Violaine.

VIOLAINE. — A quoi me servait ce corps,

Pour qu'il me cache ainsi le cœur en sorte que tu ne le voyais point, mais seulement cette marque au-dehors sur l'enveloppe misérable?

JACQUES HURY. — J'ai été dur et aveugle!

VIOLAINE. — Maintenant je suis rompue tout entière, et le parfum s'exhale.

Et voilà que tu crois tout, simplement parce que je t'ai mis la main sur la tête.

JACQUES HURY. — Je crois. Je ne doute plus.

VIOLAINE. — Et dis-moi où est la part de la Justice en tout cela? cette Justice dont tu parlais si fièrement?

JACQUES HURY. — Je ne suis plus fier.

VIOLAINE. — Va! Laisse la Justice où elle est. Ce n'est pas à nous de l'appeler et de la faire venir.

JACQUES HURY. — Violaine, que tu as souffert au cours de ces huit années!

VIOLAINE. — Non point en vain. Bien des choses se consument sur le feu d'un cœur qui brûle.

JACQUES HURY. — La délivrance est proche.

VIOLAINE. — Bénie soit donc la main qui l'autre nuit m'a conduite!

JACQUES HURY. — Quelle main?

VIOLAINE. — Comme je venais de chercher ma nourriture.

Cette main silencieusement qui a pris la mienne et qui m'a conduite.

JACQUES HURY. — Où?

VIOLAINE. — Où Pierre de Craon m'a trouvée.

Sous un grand tas de sable, la charge de toute une charrette sur moi renversée. M'y suis-je mise toute seule?

JACQUES HURY, *se levant*. — Qui a fait cela? Sang Dieu! Qui a fait cela?

VIOLAINE. — Je ne sais. Peu importe. Ne jure pas.

JACQUES HURY. — Je tirerai cela au clair.

VIOLAINE. — Mais non, tu ne tireras rien au clair.

JACQUES HURY. — Dis tout!

VIOLAINE. — Je t'ai tout dit. Que veux-tu savoir d'une aveugle?

JACQUES HURY. — Tu ne me donneras pas le change.

VIOLAINE. — Ne parle pas vainement. Je n'ai plus que peu de temps avec toi.

JACQUES HURY. — Il me reste Mara pour toujours.

VIOLAINE. — Elle est ta femme et ma sœur, née du même père et de la même mère, et faite de la même chair.

Toutes deux à ce flanc de Monsanvierge.

(*Silence. — JACQUES reste un moment immobile, comme essayant de se dominer. Puis il se rassoit*)

JACQUES HURY. — Il n'y a plus de recluses à Monsanvierge.

VIOLAINE. — Que dis-tu?

JACQUES HURY. — La dernière est morte à la Noël dernière. Aucune bouche ne se présente plus au guichet de l'église nourrice de ce saint monastère,

Nous a dit le prêtre qui leur donnait la communion.

VIOLAINE. — La montagne de Dieu
Est morte, et nous nous partageons l'héritage, Mara et moi.

JACQUES HURY. — Et Violaine était le surjon secret de l'Arbre saint, issu de quelque racine souterraine.

Dieu ne me l'aurait pas prise, si elle avait été remplie de moi tout entière, ne laissant aucune place vide,

« La part de Dieu », comme l'appellent les bonnes femmes.

VIOLAINE. — Qu'y faire? tant pis!

JACQUES HURY. — Reste! Ne t'en va pas!

VIOLAINE. — Je reste, je ne m'en vais pas.
Dis, Jacques, te souviens-tu de cette heure de midi et de ce grand soleil brûlant, et de cette place sur ma chair que je t'ai montrée sous mon sein?

JACQUES HURY. — Ah!

VIOLAINE. — Tu t'en souviens? te l'ai-je bien dit que désormais tu ne m'arracherais plus de ton âme.

Ceci de moi est en toi pour toujours. Je ne veux
plus que tu sois joyeux, il n'est pas convenable que
tu ries,

Pour le temps que tu es loin de moi encore.

JACQUES HURY. — Ah! Ah! Violaine!

VIOLAINE. — Aie de moi ceci, mon bien-aimé!
La communion sur la croix, l'amertume comme
celle de la myrrhe

Du malade qui voit l'ombre sur le cadran et de
l'âme qui reçoit vocation.

Et pour toi l'âge est venu déjà. Mais qu'il est
dur de se renoncer à un jeune cœur!

JACQUES HURY. — Et de moi tu n'as rien
voulu accepter!

VIOLAINE. — Crois-tu que je ne connaisse rien
de toi, Jacques?

JACQUES HURY. — Ma mère me connaissait.

VIOLAINE. — A moi aussi, ô Jacques, tu as
fait bien du mal!

JACQUES HURY. — Tu es vierge et je n'ai
point de part en toi.

VIOLAINE. — Hé quoi! faut-il donc te dire
tout?

JACQUES HURY. — Que caches-tu encore?

VIOLAINE. — Il le faut. Ce n'est plus le temps
de rien réserver.

JACQUES HURY. — Parle plus haut.

VIOLAINE. — Ne t'ont-ils donc point dit que
ton enfant était mort?

Cet an dernier, pendant que tu étais à Rheims?

JACQUES HURY. — Plusieurs me l'ont dit.
Mais Mara jure qu'il dormait seulement.

Et je n'ai jamais pu tirer d'elle toute l'histoire.
On raconte qu'elle est allée te trouver.

J'aurais fini par le savoir. Je voulais en avoir le
cœur net.

VIOLAINE. — C'est vrai. Tu as droit de tout
connaître.

JACQUES HURY. — Qu'allait-elle te demander?

VIOLAINE. — N'as-tu point vu que les yeux
de ta petite fille ne sont plus les mêmes?

JACQUES HURY. — Ils sont bleus maintenant comme les tiens.

VIOLAINE. — C'était la nuit de Noël. — Oui
Jacques, c'est vrai, elle était morte. Son petit
corps était raide et glacé.

Je le sais; toute la nuit je l'ai tenue entre mes
bras.

JACQUES HURY. — Qui donc lui a rendu la
vie?

VIOLAINE. — Dieu seul, et avec Dieu
La foi et le désespoir de sa mère.

JACQUES HURY. — Mais toi, tu n'y as été
pour rien?

VIOLAINE. — O Jacques, à toi seul je dirai un grand mystère.

Il est vrai, quand j'ai senti ce corps mort sur le mien, l'enfant de ta chair, Jacques...

JACQUES HURY. — Ah! ma petite Aubaine!

VIOLAINE. — Tu l'aimes beaucoup?

JACQUES HURY. — Poursuis.

VIOLAINE. — ...Mon cœur s'est rétréci et le fer a pénétré en moi.

Voilà donc ce que je tenais entre mes bras pour ma nuit de Noël et tout ce qui restait de notre race un enfant mort!

Tout ce qu'à jamais de toi je posséderais en cette vie.

Et j'écoutais Mara qui me lisait l'Office de cette Sainte Nuit : le tout-petit qui nous a été donné, l'évangile de la Joie.

Ah, ne dis pas que je ne connais rien de toi! Ne dis pas que je ne sais ce que c'est de souffrir par toi!

Ni que j'ignore l'effort et la division de la femme qui donne la vie!

JACQUES HURY. — Tu ne dis pas que cet enfant est vraiment ressuscité?

VIOLAINE. — Ce que je sais, c'est qu'il était mort, et que tout à coup j'ai senti cette tête bouger!

Et la vie a jailli de moi tout d'un coup en un seul trait et ma chair mortifiée a refleuri!

Ah! je sais ce que c'est que cette petite bouche aveugle qui cherche et ces dents impitoyables!

JACQUES HURY. — O Violaine!

(Silence. — Il veut se lever.
  VIOLAINE faiblement l'oblige à rester
  assis)

VIOLAINE. — Me pardonnes-tu maintenant?

JACQUES HURY. — O fausseté de femme! Ah! tu es la fille de ta mère!

Dis! ce n'est pas à toi, n'est-ce pas, que tu veux que je pardonne?

VIOLAINE. — A qui donc?

JACQUES HURY. — Quelle est cette main qui a pris la tienne l'autre nuit et qui t'a ainsi gracieusement conduite?

VIOLAINE. — Je ne sais pas.

JACQUES HURY. — Mais moi, je crois le savoir.

VIOLAINE. — Tu ne le sais pas. Laisse cela entre nous, c'est une affaire de femmes.

JACQUES HURY. — La mienne est de faire justice.

VIOLAINE. — Ah, laisse là ta Justice.

JACQUES HURY. — Je sais ce qui me reste à faire.

VIOLAINE. — Tu ne sais rien du tout, pauvre **bonhomme**, tu ne comprends rien aux femmes,

Et combien elles sont pauvres et bêtes et dures de la tête et ne savent qu'une seule chose.

Ne brouillonne pas tout avec elle comme avec moi.

Était-ce bien sa main seulement? Je n'en sais rien. Et toi pas davantage. Et à quoi bon le savoir?

Garde ce que tu as. Pardonne.

Et toi, n'as-tu donc jamais eu besoin d'être pardonné?

JACQUES HURY. — Je reste seul.

VIOLAINE. — Non point seul avec ce beau petit enfant que je t'ai rendu,

Et Mara, ma sœur, ta femme de la même chair que moi. Avec moi, qui te connaît davantage?

Il te faut la force et le fait, il te faut un devoir tout tracé et le fait accompli.

C'est pourquoi j'ai du sable dans les cheveux.

JACQUES HURY. — Le bonheur est fini pour moi.

VIOLAINE. — Il est fini, qu'est-ce que ça fait? on ne t'a point promis le bonheur. Travaille, c'est tout ce qu'on te demande. (Et Monsanvierge est à toi tout seul à présent.)

Interroge la vieille terre et toujours elle te répondra avec le pain et le vin.

Pour moi, j'en ai fini et je passe outre.

Dis, qu'est-ce qu'un jour loin de moi? bientôt il sera passé.

Et alors quand ce sera ton tour et que tu verras

la grande porte craquer et remuer, c'est moi de l'autre côté qui suis après.

(Silence)

JACQUES HURY. — O ma fiancée, à travers les branches en fleurs, salut!

VIOLAINE. — Tu te souviens?
Jacques! Bonjour, Jacques!

(Premières lueurs du jour qui apparaît)

Et maintenant il faut m'emporter d'ici.

JACQUES HURY. — T'emporter?

VIOLAINE. — Ce n'est point ici la place d'une lépreuse pour y mourir.

Fais-moi porter dans cet abri que mon père avait construit pour les pauvres à la porte de Monsanvierge.

(Il fait le geste de la prendre. Elle fait non de la main)

Non, Jacques, non, pas vous.

JACQUES HURY. — Quoi, pas même ce dernier devoir envers vous?

VIOLAINE. — Non. Il n'est pas convenable que vous me touchiez.

Appelez Pierre de Craon.

Il a été lépreux, bien que Dieu l'ait guéri. Il n'a point horreur de moi.

Et je sais que je suis comme un frère pour lui et la femme n'a plus de pouvoir sur son âme.

(JACQUES HURY sort, et revient, quelques moments après, avec PIERRE DE

CRAON. *Elle ne dit plus rien. Tous deux la regardent en silence)*

VIOLAINE. — Jacques!

JACQUES HURY. — Violaine!

VIOLAINE. — Est-ce que l'année a été bonne et le blé bien beau?

JACQUES HURY. — Tant qu'on ne sait plus où le mettre.

VIOLAINE. — Ah!
Que c'est beau une grande moisson!
Oui même maintenant je m'en souviens et je trouve que c'est beau.

JACQUES HURY. — Oui, Violaine.

VIOLAINE. — Que c'est beau
De vivre! *(tout bas, avec une profonde ferveur)* et que la gloire de Dieu est immense!

JACQUES HURY. — Vis donc et reste avec nous.

VIOLAINE. — Mais que c'est bon aussi de mourir! Alors que c'est bien fini et que s'étend sur nous peu à peu
L'obscurcissement comme d'un ombrage très obscur.

(Silence)

PIERRE DE CRAON. — Elle ne dit plus un mot.

JACQUES HURY. — Prenez-la. Portez-la où je vous ai dit.
Car pour moi, elle ne veut point que je la touche.

Bien doucement! Doucement, doucement, je vous dis. Ne lui faites point de mal.

> *(Ils sortent, PIERRE portant le corps.*
> *La porte reste ouverte.*
> *Longue pause)*

SCÈNE IV

Retour d'Anne Vercors

(Apparaît sur le seuil de la porte ANNE VER-CORS, en costume de voyageur, le bâton à la main et un sac en bandoulière)

ANNE VERCORS. — Ouverte?

La maison est-elle vide que toutes les portes soient ouvertes?

Qui entre si matin avant moi? ou qui est-ce qui est sorti?

> *(Il regarde longuement autour de lui)*

Je reconnais la vieille salle, rien n'est changé.

Voici la cheminée, voici la table.

Voici le plafond aux poutres solides.

Je suis comme la bête qui flaire de tous côtés et qui reconnaît son gîte et son nid.

Salut, maison! C'est moi. Voici que le maître revient.

Salut, Monsanvierge, haute demeure!

De bien loin, depuis hier matin et le jour d'avant,

à la crête de la colline j'ai reconnu l'Arche aux cinq tours.

Mais d'où vient que les cloches ne sonnent plus? hier ni ce matin

Je n'ai pas entendu dans le ciel avec l'Ange neuf fois sonore

Jésus dans le cœur de Marie trois fois trois fois annoncé.

Monsanvierge! que de fois j'ai pensé à tes murs,

Cependant que sous mes pieds captifs je faisais monter l'eau dans le jardin du vieillard de Damas. (O le matin et l'après-midi implacable! ô la noria éternelle et les yeux qu'on lève vers le Liban!)

Et tous les aromates de l'exil sont peu de chose pour moi,

Auprès de cette feuille de noyer que je froisse entre mes doigts.

Salut, terre puissante et subjuguée! Ce n'est pas du sable ici qu'on cultive et la molle alluvion.

C'est le sol foncier lui-même qu'on laboure à la force de son corps de six bœufs qui tirent, et qui sort lentement sous le soc une tranche énorme!

Et tout, aussi loin que mes yeux s'étendent, a répondu à l'ébranlement que l'homme lui donne.

Déjà j'ai vu tous mes champs et j'ai reconnu que tout est soigné comme il faut. Dieu soit loué! Jacques fait bien son travail.

(Il pose son sac sur la table)

Terre, je suis allé chercher pour toi un peu de terre,

Un peu de terre pour ma sépulture, celle que
Dieu lui-même pour la sienne a choisie à Jérusalem.

(Pause)

Je n'ai pas voulu rentrer hier soir. J'ai attendu
le grand jour.

Et j'ai passé la nuit sous une meule de paille
nouvelle, pensant, dormant, priant, regardant, me
souvenant, remerciant,

Écoutant si parfois j'entendais la voix de ma
femme ou de ma fille Violaine, ou d'un enfant qui
crie.

M'étant réveillé, j'ai vu que la nuit s'éclairait,

Et là-haut, surmontant le sombre cimier de Monsanvierge, resplendissante, arrivant de l'Arabie,

L'étoile du matin sur la France comme un héraut
qui s'élève dans la solitude!

Et je me suis mis en marche vers la maison.
Holà? Y a-t-il quelqu'un ici?

*(Il frappe sur la table avec son bâton.
— Rideau qui reste fermé quelques moments)*

SCÈNE V

*Le fond du jardin. L'après-midi du même jour. Fin
de l'été.*

Les arbres chargés de fruits. De quelques-uns les

branches qui plient jusqu'à terre sont soutenues par des étais. Les feuillages, comme ternis et usés, mêlés de pommes rouges et jaunes, font comme une tapisserie.

Au fond, inondée de lumière, telle qu'après la moisson, la plaine immense; des éteules et déjà des terres labourées. On voit les routes blanches et les villages. Des rangées de meules qui paraissent toutes petites, et, çà et là, un peuplier. Très loin, et de différents côtés, des troupeaux de moutons. L'ombre des grands nuages passe sur la plaine.

Au milieu, et à l'endroit où la scène descend vers le fond d'où l'on voit émerger les cimes d'un petit bois, un banc de pierre semi-circulaire où l'on accède par trois degrés et dont le dossier est terminé par des têtes de lion. ANNE VERCORS y est assis, ayant à sa droite JACQUES HURY.

ANNE VERCORS. — L'arrière-saison dorée
Tout à l'heure
Dépouille l'arbre fruitier et la vigne.
Et le matin le soleil blanc
D'un seul éclat de diamant sans nul feu s'associe
à la blanche vêture de la terre;
Et le soir est proche où celui qui passe sous les peupliers
Entend la dernière feuille tout en haut!
Maintenant, voici qu'égalant les jours et les nuits, contrepesant
Les longs travaux avec son signe débordant, au travers de la Porte céleste
S'interpose la royale Balance.

JACQUES HURY. — Père, depuis que tu es parti,

Tout, l'histoire douloureuse, et le complot de
ces femmes, et la trappe qui a été construite pour
nous y prendre,
    Tu le sais, et je t'ai raconté
    Une chose encore la bouche sur l'oreille.
    Où est ta femme? où est ta fille Violaine?
    Et voilà que tu parles du lien qu'on tord et de
la grappe grande et noire
    Qui remplit tout entière la main du vigneron,
la main qu'on enfonce sous le pampre!
    Déjà
    Et le Scorpion oblique et le Sagittaire rétrograde
    Ont paru sur le cadran nocturne.

ANNE VERCORS. — Laisse le vieillard jouir
de la saison chaleureuse! O lieu vraiment béni! ô
Sein de la Patrie! ô terre reconnaissante et fécondée!
    Les chars qui passent par le chemin
    Laissent de la paille après les branches chargées
de fruits!

JACQUES HURY. — O Violaine! ô cruelle Violaine! désir de mon âme tu m'as trahi!
    O détestable jardin! ô amour inutile et méconnu!
Jardin à la male heure planté!
    Douce Violaine! perfide Violaine! ô silence et
profondeur de la femme!
    Êtes-vous donc tout à fait partie, mon âme?
    M'ayant trompé, elle s'en va; et m'ayant dé-
trompé, avec des paroles mortelles et douces.
    Elle part, et moi, avec ce trait empoisonné, il
va falloir

Que je vive et continue! comme la bête qu'on prend par la corne, lui tirant la tête de la crèche,

Comme le cheval qu'au soir on détache du palonnier en lui frappant sur la croupe!

O bœuf, c'est toi qui marches le premier, mais nous ne formons qu'un attelage à nous deux. Que le sillon soit fait seulement, c'est tout ce qu'on demande de nous.

C'est pourquoi tout ce qui n'est pas nécessaire à ma tâche, tout cela m'a été retiré.

ANNE VERCORS. — Monsanvierge s'est éteint et le fruit de ton travail est à toi seul.

JACQUES HURY. — Il est vrai.

(Silence)

ANNE VERCORS. — A-t-on bien prévenu à la chapelle pour demain?

Y a-t-il à boire et à manger pour tous ceux que nous aurons à traiter?

JACQUES HURY. — Vieillard! C'est ta fille que l'on va mettre dans la terre, et voilà ce que tu trouves à dire!

Certes tu ne l'as jamais aimée! Mais le vieillard, comme l'avare qui se chauffe les mains après son pot de braise dans son sein,

Il en a bien assez de lui-même tout seul.

ANNE VERCORS. — Il faut que tout se fasse. Il faut que les choses soient faites honorablement. — Élisabeth, ma femme, cœur caché!

(Entre PIERRE DE CRAON)

ANNE VERCORS. — Est-ce que tout est prêt?

PIERRE DE CRAON. — On travaille au cercueil. On fait la fosse où vous l'avez commandé,
Jouxtant l'église là-haut, près de celle du dernier chapelain, votre frère.

On a mis dedans cette terre que vous avez rapportée.

Un grand lierre noir

Sort de la tombe sacerdotale et traversant le mur

Pénètre jusque dans l'arche scellée.

— Demain au petit jour. Tout est prêt.

> *(JACQUES HURY pleure, le visage dans
> son manteau. — On voit par l'allée une
> religieuse, comme une femme qui cherche
> des fleurs)*

ANNE VERCORS. — Que cherchez-vous, ma sœur?

VOIX DE LA RELIGIEUSE, *sourde et étouffée.*
— Des fleurs pour les lui mettre sur son cœur entre
ses mains.

ANNE VERCORS. — Il n'y a pas de fleurs, il
n'y a plus que des fruits.

JACQUES HURY, *pleurant.* — Écartez les feuilles et l'on trouvera la dernière violette!

Et la fleur Immortelle est encore en boutons,
et seuls nous restent le dahlia et la tête de pavot.

> *(La Religieuse n'est plus là)*

PIERRE DE CRAON. — Les deux sœurs qui soignent les malades, l'une toute jeune et l'autre très vieille,

L'ont parée et Mara a envoyé pour elle sa robe de noces.

Certes ce n'était qu'une lépreuse, mais elle était honorable auprès de Dieu.

Elle repose dans un sommeil profond

Comme celui qui sait à qui il s'est confié.

Je l'ai vue avant qu'on ne l'eût mise dans la bière.

Son corps est resté souple.

Oh! tandis que la sœur qui achevait de la vêtir, le bras autour de sa taille,

La maintenait assise, comme sa tête retombait en arrière,

Telle que la perdrix encore chaude que le chasseur ramasse dans sa main!

ANNE VERCORS. — Mon enfant! ma petite fille que je portais dans mes bras avant qu'elle ne sût marcher!

La grosse petite fille qui se réveillait en riant aux éclats dans son sabot de petit lit.

Tout cela est fini. Ah! ah! ô Dieu! hélas!

PIERRE DE CRAON. — Ne voulez-vous point la revoir avant que l'on cloue le couvercle?

ANNE VERCORS. — Non. L'enfant renié s'en va furtivement.

JACQUES HURY. — Je ne reverrai plus son visage en cette vie.

(PIERRE DE CRAON s'assied à la gau-
che d'ANNE VERCORS. Longue pause.
Bruit d'un marteau sur les planches. Ils
demeurent en silence écoutant.

On voit passer par le côté de la scène MARA,
tenant un enfant entre les bras enveloppé
d'un châle noir. Puis elle rentre len-
tement par le fond et vient se placer
en face du banc où sont assis les trois
hommes.

Ils tiennent les yeux sur elle, sauf JAC-
QUES HURY, qui regarde la terre)

MARA, *la tête baissée.* — Salut, mon père! Je
vous salue tous.

Vous tenez les yeux sur moi et je sais ce que
vous pensez : « Violaine est morte.

« Le beau fruit mûr, le bon fruit doré,

« S'est détaché de la branche, et, seule, amère
au-dehors, dure au-dedans comme la pierre,

« Nous reste la noix hivernale. » Qui m'aime?
Qui m'a jamais aimée?

(Elle relève la tête d'un air sauvage)

Eh bien! me voici! qu'avez-vous à me dire?
Dites tout! Qu'avez-vous à me reprocher?

Qu'avez-vous à me regarder ainsi avec ces yeux
qui disent : C'est toi! — Cela est vrai, c'est moi!

Cela est vrai, c'est moi qui l'ai tuée.

C'est moi qui l'ai prise par la main, l'autre nuit,
étant allée la retrouver,

Durant que Jacques n'était pas là,

Et qui l'ai fait choir dans la sablonnière et qui
ai culbuté sur elle

Cette charrette toute chargée. Tout était prêt,
il n'y avait qu'une cheville à retirer.

J'ai fait cela.

Jacques! et c'est moi aussi qui ai dit à la mère,
Violaine, de lui parler, ce jour que tu es revenu
de Braine.

Car je désirais ardemment t'épouser, et autrement j'étais décidée à me pendre le jour de vos
noces.

Or Dieu qui voit les cœurs avait permis déjà
qu'elle prît la lèpre.

— Mais Jacques ne cessait de penser à elle. C'est
pourquoi je l'ai tuée.

Quoi donc? que restait-il d'autre à faire? que
fallait-il faire de plus

Pour que celui que j'aime et qui est à moi
Fût à moi, comme je suis à lui tout entier.
Et que Violaine fût exclue?

J'ai fait ce que j'ai pu.

Et vous à votre tour, répondez! Votre Violaine
que vous aimiez,

Comment donc est-ce que vous l'avez aimée, et
lequel a valu le mieux,

De votre amour croyez-vous, ou de ma haine?

Vous l'aimiez tous! et voici son père qui l'abandonne et sa mère qui la conseille,

Et son fiancé, comme il a cru en elle!

Certes vous l'aimiez,

Comme on dit que l'on aime une douce bête, une

jolie fleur, et c'était là toute l'amitié de votre
amour.

Le mien était d'une autre nature;

Aveugle, ne lâchant point prise, comme une
chose sourde et qui n'entend pas!

Afin qu'il m'ait tout entière il me fallait l'avoir
tout entier!

Qu'ai-je fait après tout pour me défendre? qui
lui a été le plus fidèle, de moi ou de Violaine?

De Violaine qui l'a trahie pour je ne sais quel
lépreux, cédant, dit-elle, au conseil de Dieu en un
baiser?

J'honore Dieu. Qu'il reste où il est! Notre malheu-
reuse vie est si courte! Qu'il nous y laisse la paix.

Est-ce ma faute si j'aimais Jacques? était-ce
pour ma joie, ou pour la dévoration de mon âme?

Comment pouvais-je faire pour me défendre,
moi qui ne suis point belle, ni agréable, pauvre
femme qui ne puis donner que de la douleur?

C'est pourquoi je l'ai tuée dans mon désespoir!

O pauvre crime maladroit! O disgrâce de celle
qu'on n'aime pas et à qui rien ne réussit! Comment
fallait-il faire puisque je l'aimais et qu'il ne m'aimait pas?

(Elle se tourne vers JACQUES)

Et toi, ô Jacques, pourquoi ne dis-tu rien?

Pourquoi tournes-tu ainsi le visage vers la terre
sans mot dire.

Comme Violaine, le jour où tu l'accusais injus-
tement?

Ne me reconnais-tu pas? Je suis ta femme.

Certes je sais que je ne te parais point belle ni agréable, mais vois, je me suis parée pour toi, j'ai ajouté à cette douleur que je puis te donner! cette douleur, il n'y a que moi qui puisse te la donner. Et je suis la sœur de Violaine.

Il naît de la douleur! Cet amour ne naît point de la joie, il naît de la douleur! cette douleur qui suffit à ceux qui n'ont point la joie!

Nul n'a plaisir à la voir, ah, ce n'est point la fleur en sa saison,

Mais ce qu'il y a sous les fleurs qui se fanent, la terre même, l'avare terre sous l'herbe, la terre qui ne manque jamais!

Reconnais-moi donc!

Je suis ta femme et tu ne peux pas faire que je ne le sois point!

Une seule chair inséparable, le contact par le centre et l'âme, et la confirmation, cette parenté mystérieuse entre nous deux,

Qui est que j'ai eu un enfant de toi.

J'ai commis un grand crime, j'ai tué ma sœur; mais je n'ai point péché contre toi. Et je dis que tu ne peux rien me reprocher. Et que m'importent les autres?

Voilà ce que j'avais à dire, et maintenant fais ce que tu voudras.

(Silence)

ANNE VERCORS. — Ce qu'elle dit est vrai. Va, Jacques, pardonne-lui!

JACQUES HURY. — Viens donc, Mara.

> *(Elle s'approche et se tient debout devant eux, formant avec son enfant un seul objet sur lequel les deux hommes étendent en même temps la main droite. Leurs bras s'entrecroisent et la main de JACQUES est posée sur la tête de l'enfant, celle d'ANNE sur la tête de MARA)*

JACQUES HURY. — C'est Violaine qui te pardonne. C'est en elle, Mara, que je te pardonne. C'est elle, femme criminelle, qui nous garde réunis.

MARA. — Hélas! Hélas! paroles mortes et sans trait!

O Jacques, je ne suis plus la même! Il y a en moi quelque chose de fini. N'aie pas peur. Tout cela m'est égal.

Il y a quelque chose de rompu en moi, et je reste sans force, comme une femme veuve et sans enfants.

> *(L'enfant rit vaguement et regarde de tous côtés en poussant de petits cris de joie)*

ANNE VERCORS, *le caressant*. — Pauvre Violaine!

Et toi que voici, petit enfant! Comme ses yeux sont bleus!

MARA, *fondant en larmes*. — Père, père! ah! Il était mort et c'est elle qui l'a ressuscité!

> *(Elle s'éloigne et va s'asseoir à l'écart)*

*(Le soleil descend. Il pleut çà et là sur la
plaine, on voit la pluie dont les traits se
croisent avec les rayons du soleil. Un immense arc-en-ciel se déploie)*

VOIX D'ENFANT. — Hi! hi! regardez la belle
arc-en-ciel!

*(Autres voix perdues. On voit voler de
grandes bandes de pigeons qui tournent,
s'éparpillent et s'abattent çà et là dans
les éteules)*

ANNE VERCORS. — La terre est libérée. La
place est vide.

Toute la moisson est rentrée et les oiseaux du
ciel

Picorent le grain perdu.

PIERRE DE CRAON. — L'été est fini, la saison suspend avertissement, le feuillage universel

Frémit sous le souffle de septembre.

Le ciel est redevenu bleu, et tandis que les perdrix rappellent sous le couvert,

La buse plane dans l'air liquide.

JACQUES HURY. — Tout est à vous, Père!
reprenez tout ce bien dont vous m'avez saisi.

ANNE VERCORS. — Non, Jacques, je n'ai plus
rien et ceci n'est plus à moi. Qui est parti ne
reviendra pas et ce qui est donné une fois ne peut
être.

Repris. Voici un Combernon, un Monsanvierge
nouveaux.

PIERRE DE CRAON. — L'autre est mort. La montagne vierge est morte et la cicatrice à son flanc ne se rouvrira plus.

ANNE VERCORS. — Elle est morte. Ma femme aussi

Est morte, ma fille est morte, la sainte Pucelle

A été brûlée et jetée au vent, pas un de ses os ne reste à la terre.

Mais le Roi et le Pontife de nouveau sont rendus à la France et à l'Univers.

Le schisme prend fin, de nouveau s'élève au-dessus de tous les hommes le Trône.

J'ai repassé par Rome, j'ai baisé le pied de Saint Pierre, j'ai mangé debout le pain bénit avec le peuple des Quatre Parties de la Terre,

Tandis que les cloches du Quirinal et du Latran et la voix de Sainte-Marie-Majeure

Saluaient les ambassadeurs de ces peuples nouveaux qui du Levant et du Couchant pénètrent à la fois dans la Ville;

L'Asie retrouvée et ce monde Atlantique au delà des Colonnes d'Hercule!

Et ce soir même quand sonnera l'Angélus, à cette heure où l'étoile Al-Zohar brille dans le ciel déblayé,

Commence cette année jubilaire que le Pape nouveau accorde,

Extinction des dettes, libération des prisonniers, suspension de la guerre, fermeture des prétoires, restitution de toute propriété.

PIERRE DE CRAON. — Trêve d'une année et paix d'un jour tout seul.

ANNE VERCORS. — Qu'importe! La paix est bonne, mais la guerre nous trouvera munis.

O Pierre! voici le temps où les femmes et les nouveau-nés en remontrent aux sages et aux vieillards!

Voici que je me suis scandalisé comme un Juif parce que la face de l'Église est obscurcie et parce qu'elle marche en chancelant son chemin dans l'abandon de tous les hommes.

Et j'ai voulu de nouveau me serrer contre le tombeau vide, mettre ma main dans le trou de la croix.

Mais ma petite fille Violaine a été plus sage.

Est-ce que le but de la vie est de vivre? est-ce que les pieds des enfants de Dieu seront attachés à cette terre misérable?

Il n'est pas de vivre, mais de mourir, et non point de charpenter la croix mais d'y monter, et de donner ce que nous avons en riant!

Là est la joie, là est la liberté, là la grâce, là la jeunesse éternelle! et vive Dieu si le sang du vieillard sur la nappe du sacrifice près de celui du jeune homme

Ne fait pas une tache aussi rouge, aussi fraîche que celui de l'agneau d'un seul an!

O Violaine! enfant de grâce! chair de ma chair! Aussi loin que le feu fumeux de ma ferme l'est de l'étoile du matin,

Quand cette belle vierge sur le sein du soleil pose sa tête illuminée,

Puisse ton père tout en haut te voir pour l'éternité à cette place qui t'a été réservée!

Vive Dieu si où passe ce petit enfant le père ne passe aussi!

De quel prix est le monde auprès de la vie? et de quel prix la vie, sinon pour la donner?

Et pourquoi se tourmenter quand il est simple d'obéir?

C'est ainsi que Violaine aussitôt toute prompte suit la main qui prend la sienne.

PIERRE DE CRAON. — O père! C'est moi le dernier qui l'ai tenue dans mes bras, car elle se confiait en Pierre de Craon, sachant qu'il n'y a plus désir en son cœur de la chair.

Et le jeune corps de ce frère divin était entre mes bras comme un arbre coupé qui penche!

Déjà comme l'ardente couleur de la fleur de grenade de tous côtés se fait voir sous le bourgeon qui ne la peut plus enclore,

La splendeur de l'ange qui ne sait point la mort s'emparait de notre petite sœur.

Et l'odeur du paradis entre mes bras s'exhalait de ce tabernacle brisé.

Ne pleure point, Jacques, mon ami.

ANNE VERCORS. — Ne pleure point, mon fils.

JACQUES HURY. — Pierre, rends-moi cet anneau qu'elle t'a donné.

PIERRE DE CRAON. — Je ne le peux plus!
Pas plus que l'épi complet ne peut rendre

Le grain dans la terre d'où sort sa tige.

De cette miette d'or j'ai fait une gemme
embrasée.

Et le vaisseau de ce jour sans couchant où le
froment éternel est déposé.

Justitia est finie et seule la femme encore lui
manquait

Que je mettrai à la fleur de mon lys suprême.

ANNE VERCORS. — Tu es puissant en œuvres,
Pierre, et j'ai vu sur mon chemin les églises que tu
as enfantées.

PIERRE DE CRAON. — Béni soit Dieu qui a
fait de moi un père d'églises,

Et qui a mis l'intelligence dans mon cœur et le
sens des trois dimensions :

Et qui m'a interdit comme un lépreux et libéré
de tout souci temporel,

Afin que de la terre de France je suscite Dix
Vierges Sages dont l'huile ne s'éteint pas, et com-
pose un vase de prières!

Qu'est cette *âme* ou cheville de bois que le luthier
insère entre la face et le dos de son instrument,

Auprès de cette grande lyre enfermée et de ces
Puissances columnaires dans la nuit dont j'ai cal-
culé le nombre et la distance?

Je ne taille point du dehors un simulacre.

Mais comme le père Noé, du milieu de mon Arche
énorme,

Je travaille au-dedans et de partout vois tout
qui monte à la fois!

Et qu'est-ce qu'un corps à sculpter au prix d'une
âme à enclore

Et de ce vide sacré que laisse le cœur révérend
qui se retire de devant son Dieu?

Rien n'est trop profond pour moi : mes puits per-
cent jusqu'aux eaux de la Veine-mère.

Rien n'est trop élevé pour la flèche qui monte au
ciel et dérobe à Dieu la foudre!

Pierre de Craon mourra, mais les Dix Vierges ses
filles

Demeureront comme le vaisseau de la Veuve

Où se renouvelle sans cesse la farine, et la mesure
sacrée de l'huile et du vin.

ANNE VERCORS. — Oui, Pierre. Qui se confie
à la pierre ne sera pas déçu.

PIERRE DE CRAON. — O que la pierre est
belle et qu'elle est douce aux mains de l'architecte!
et que le poids de son œuvre tout ensemble est
une chose juste et belle!

Qu'elle est fidèle, et comme elle garde l'idée, et
quelles ombres elle fait!

Et qu'une vigne fait bien sur le moindre mur, et
le rosier dessus quand il est en fleurs,

Qu'il est beau, et que c'est réel ensemble!

Avez-vous vu ma petite église de l'Épine qui est
comme un brasier ardent et un buisson de roses
épanouies?

Et Saint-Jean de Vertus comme un beau jeune

homme au milieu de la craie champenoise? Et Mont-Saint-Martin qui sera mûr dans cinquante ans?

Et Saint-Thomas de Fond-d'Ardenne qu'on entend le soir appeler comme un taureau du milieu de ses marécages?

Mais Justitia que j'ai faite la dernière, Justitia ma fille est plus belle!

ANNE VERCORS. — J'irai y faire ex-voto de mon bâton.

PIERRE DE CRAON. — Elle-même est dédiée dans mon cœur, rien n'y manque plus, elle ne fait plus qu'un morceau.

Et pour le faîte,

J'ai trouvé la pierre que je cherchais, non détachée par le fer,

Plus douce que l'albâtre et d'un grain plus serré que la meule.

Comme les frêles os de la petite Justitia servent de base à mon grand édifice,

C'est ainsi qu'à ton sommet en plein ciel je mettrai cette autre Justice,

Violaine la lépreuse dans la gloire, Violaine l'aveugle dans le regard de tous.

Et je la représenterai les mains croisées sur la poitrine, comme l'épi encore à demi prisonnier de ses téguments,

Et les deux yeux bandés.

ANNE VERCORS. — Pourquoi les yeux bandés!

PIERRE DE CRAON. — Afin qu'elle écoute mieux, ne voyant pas,

Le bruit de la ville et des champs, et la voix de l'homme avec la voix de Dieu en même temps.

Car elle est Justice elle-même qui écoute et conçoit dans son cœur le juste accord.

La voici qui est un refuge contre l'intempérie et un ombrage contre la canicule.

JACQUES HURY. — Mais Violaine n'est pas une pierre pour moi et la pierre ne me suffit pas!

Et je ne veux pas que la lumière de ses yeux si beaux soit couverte!

ANNE VERCORS. — Celle de son âme est avec nous. Je ne t'ai pas perdue, Violaine! Que tu es belle, mon enfant!

Et que la fiancée est belle quand au jour de ses noces, elle se montre à son père dans sa robe magnifique, avec un charmant embarras.

Marche devant, Violaine, mon enfant, et je te suivrai. Mais tourne parfois le visage vers moi, afin que je voie tes yeux!

Violaine! Élisabeth! bientôt je suis de nouveau avec vous!

Pour toi, Jacques, fais ta tâche, comme j'ai fait la mienne, à ton tour! La fin est proche,

La voici qui m'est donnée, du jour, et de l'année et de la vie!

Il est six heures. L'ombre du Grès-qui-va-boire atteint le ruisseau.

L'hiver vient, la nuit vient. Un peu de **nuit** maintenant,

Cette courte veille encore!

Toute ma vie j'ai travaillé avec le Soleil et **je** l'ai aidée à sa tâche.

Mais maintenant, tout seul, il me faut commencer la nuit,

A la chaleur du feu, à la clarté de la lampe.

PIERRE DE CRAON. — O agriculteur, **ton** œuvre est achevée. Vois la campagne vide, **vois** la terre moissonnée et déjà la charrue entame l'éteule!

Et maintenant ce que tu as commencé, c'est à moi de le parfaire.

Comme tu as ouvert le sillon, je creuse le silo, je prépare le tabernacle.

Et comme ce n'est pas toi qui mûris la moisson, mais le soleil, ainsi la grâce.

Et nul s'il ne sort du grain ne sera de l'épi.

Et certes Justice est belle. Mais combien plus beau

Cet arbre fructifiant de tous les hommes que la semence eucharistique engendre en sa végétation.

Cela fait une seule figure qui tient à un même point.

Ah, si tous les hommes comme moi comprenaient l'architecture.

Qui voudrait

Faillir à sa nécessité et à cette place sacrée que le Temple lui assigne?

ANNE VERCORS. — Pierre de Craon, tu as beaucoup de pensées, mais pour moi ce soleil me suffit qui va s'éteindre.

Toute ma vie j'ai fait la même chose que lui, la culture de la terre, me levant et rentrant avec lui.

Et maintenant j'entre dans la nuit et elle ne me fait pas peur, et je sais que là aussi tout est clair et réglé, en la saison de ce grand hiver céleste qui met toute chose en mouvement.

Le ciel de la nuit où tout est travail et qui est comme un grand labour, et une pièce d'un seul tenant,

Et le Colon éternel y pousse les Sept Bœufs l'œil fixé sur une étoile immuable,

Comme nous autres sur la branche verte qui marque le bout du sillon.

Le soleil et moi, côte à côte,

Nous avons travaillé, et ce qui sort de notre travail ne nous regarde pas. Le mien est fait.

Je me suis uni à la nécessité et maintenant je voudrais m'y dissoudre.

La paix, pour qui la connaît, la joie

Et la douleur y entrent pour des parts égales.

Ma femme est morte. Violaine est morte. Cela est bien.

Je ne désire plus tenir cette frêle vieille main ridée. Et pour Violaine, à huit ans, quand elle venait se jeter contre mes jambes,

Comme j'aimais ce petit corps robuste! Et peu à peu l'impétueuse gaminerie de la rieuse

S'était fondue dans l'attendrissement de la jeune fille, dans la peine et le poids de l'amour, et déjà quand je suis parti,

Je voyais dans ses yeux parmi les fleurs de ce printemps s'en lever une inconnue.

PIERRE DE CRAON. — La vocation de la mort comme un lys solennel.

ANNE VERCORS. — Bénie soit la mort en qui toute pétition du *Pater* est comblée.

PIERRE DE CRAON. — Pour moi c'est dès cette vie que d'elle-même et de ses lèvres innocentes

J'ai reçu libération et congé.

(Le soleil est dans la partie gauche du ciel,
à la hauteur d'un grand arbre)

ANNE VERCORS. — Voici le soleil dans le ciel,

Comme il est sur les images quand le Maître réveille l'ouvrier de la Onzième Heure.

(On entend craquer la porte de la grange)

JACQUES HURY. — Qu'est-ce que cela?

ANNE VERCORS. — C'est la paille qu'on va chercher dans la grange

Pour mettre au fond de la fosse.

(Silence. — Bruit de battoir au loin)

VOIX D'ENFANT AU-DEHORS :

> Marguerite de Paris!
> Prête-moi tes souliers gris!
> Pour aller en paradis!
> Qu'i fait beau!
> Qu'i fait chaud!
> J'entends le petit oiseau!
> Qui fait pi i i i!

JACQUES HURY. — Ce n'est point la porte de la grange, c'est le cri de la tombe qui s'ouvre!

Et m'ayant regardé de ses yeux aveugles celle que j'aimais passe de l'autre côté.

Et moi aussi je l'ai regardée comme un aveugle et sans preuves je n'ai point douté,

Je n'ai point douté de celle qui l'accusait.

J'ai fait mon choix, et celle que j'ai choisie,

Elle m'a été donnée. Que dirais-je? Cela est bien ainsi.

Cela est bien ainsi.

Le bonheur n'est point pour moi, mais le désir! il ne me sera pas arraché.

Et non point Violaine radieuse et intacte,

Mais la lépreuse au-dessus de moi penchée avec un amer sourire et la plaie dévorante à son côté!

(Silence)
(Le soleil est derrière les arbres. Il brille à travers les branches. Le dessin des feuilles couvre la terre et les personnages

*assis. Çà et là une abeille d'or brille
dans un trou de la lumière)*

ANNE VERCORS. — Me voici assis, et du
haut de la montagne je vois tout le pays à mes
pieds.

Et je reconnais les routes, et je compte les fer-
mes et les villages, et je les connais par leurs noms
et tous les gens qui y habitent.

La plaine par cette échappée à perte de vue vers
le nord!

Et ailleurs, se relevant, la côte autour de ce
village forme comme un théâtre.

Et partout, à tout moment,

Verte et rose au printemps, bleue et blonde
l'été, brune l'hiver ou toute blanche sous la neige,

Devant moi, à mon côté, autour de moi,

Je ne cesse point de voir la Terre, comme un
ciel fixe tout peint de couleurs changeantes.

Celle-ci ayant une forme aussi particulière que
quelqu'un est toujours là avec moi présent.

Maintenant c'est fini.

Que de fois ne suis-je pas sorti de mon lit, allant
à mon ouvrage!

Et maintenant voici le soir, et le soleil ramène
les hommes et les animaux comme avec une main.

*(Il se lève lentement et péniblement, et
étend lentement les bras de toute leur lon-
gueur, tandis que le soleil devenu jaune
le couvre)*

Ah! ah!

Voici que j'étends les bras dans les rayons de soleil, comme un tailleur qui mesure l'étoffe.

Voici le soir! Aie pitié de tout homme, Seigneur, à ce moment qu'ayant fini sa tâche il se tient devant toi comme un enfant dont on examine les mains.

Les miennes sont quittes. J'ai fini ma journée! J'ai semé le blé et je l'ai moissonné, et dans ce pain que j'ai fait tous mes enfants ont communié.

A présent j'ai fini.

Tout à l'heure il y avait quelqu'un avec moi.

Et maintenant la femme et l'enfant s'étant retirées,

Je reste seul pour dire grâces devant la table desservie

Toutes deux sont mortes, mais moi

Je vis, sur le seuil de la mort et une joie inexplicable est en moi!

(L'Angélus sonne à l'église d'en bas. Premier coup de trois tintements)

JACQUES HURY, *sourdement.* — L'Ange de Dieu nous avertit de la paix et l'enfant tressaille dans le sein de sa mère.

(Deuxième coup)

PIERRE DE CRAON. — « Hommes de peu de foi, pourquoi pleurez-vous? »

(Troisième coup)

ANNE VERCORS. — « Parce que je vais à mon père et à votre père. »

(Profond silence. Puis, volée)

PIERRE DE CRAON. — Ainsi parle l'Angélus comme avec trois voix, ainsi en mai,

Quand l'homme non marié s'en revient, ayant enterré sa mère, chez lui,

« Voix-de-la-Rose » cause dans le soir d'argent.

O Violaine! ô femme par qui vient la tentation!

— Car ne sachant encore ce que je ferais, j'ai regardé où tu fixais le noir des yeux.

Certes j'ai toujours pensé que c'était une bonne chose que la joie.

Mais maintenant j'ai tout!

Je possède tout sous les mains, et je puis comme quelqu'un qui, voyant un arbre chargé de fruits,

Étant monté sur l'échelle, il sent plier sous son corps le profond branchage.

Il faut que je parle sous l'arbre, comme la flûte qui n'est ni basse ni aiguë! Comme l'eau

Me soulève! L'action de grâces descelle la pierre de mon cœur!

Que je vive ainsi! Que je grandisse ainsi mélangé à mon Dieu, comme la vigne et l'olivier.

(Le soleil se couche. — MARA tourne la tête vers son mari et le regarde)

JACQUES HURY. — La voici qui me regarde. La voici qui revient vers moi avec la nuit!

(Son d'une cloche fêlée tout près — Premier coup)

ANNE VERCORS. — C'est la petite cloche des sœurs qui sonne l'Angélus à son tour.

> *(Silence. Puis on entend une autre cloche très haut, Monsanvierge, qui sonne la triple note à son tour, admirablement sonore et solennelle)*

JACQUES HURY. — Écoutez!

PIERRE DE CRAON. — Miracle!

ANNE VERCORS. — C'est Monsanvierge qui ressuscite! L'Ange retentissant une fois encore
Aux cieux et à la terre attentifs fait l'annonce accoutumée.

PIERRE DE CRAON. — Oui, Voix-de-la-Rose, Dieu est né!

> *(Second coup de la cloche des sœurs. Elle frappe la troisième note en même temps que Monsanvierge la première)*

ANNE VERCORS. — Dieu s'est fait homme!

JACQUES HURY. — Il est mort!

PIERRE DE CRAON. — Il est ressuscité!

> *(Troisième coup de la cloche des sœurs. Puis volée.*
> *Pause. Puis on entend, perdue et presque indistincte la triple note du troisième coup dans les hauteurs)*

ANNE VERCORS. — Ce n'est point le coup de l'Angélus, c'est la sonnerie de la communion!

PIERRE DE CRAON. — Les trois notes comme un sacrifice ineffable sont recueillies dans le sein de la Vierge sans péché.

> *(Ils gardent tous le visage tourné en haut, prêtant l'oreille et comme attendant la volée, qui ne vient point)*

EXPLICIT

ACTE IV

SCÈNE PREMIÈRE

La seconde partie de la nuit. La salle du premier acte. Dans la cheminée les charbons jettent une faible lueur. Au milieu une longue table sur laquelle une nappe étroite dont les pans retombent également des deux côtés. La porte est ouverte à deux battants, découvrant la nuit étoilée. Un flambeau allumé est posé au milieu de la table.

(Entre JACQUES HURY, comme s'il cherchait quelqu'un. Il sort et ramène MARA par le bras)

JACQUES HURY. — Que fais-tu là?

MARA. — Il me semblait que j'entendais un bruit de char là-bas en bas dans la vallée.

JACQUES HURY, *prêtant l'oreille.* — Je n'entends rien.

MARA. — C'est vrai, tu n'entends rien. Mais moi, j'ai l'oreille vivante et le jas de l'œil ouvert.

JACQUES HURY. — Tu ferais mieux de dormir.

MARA. — Dis, toi-même, tu ne dors pas toujours si bien.

JACQUES HURY. — Je pense, j'essaye de comprendre.

MARA. — Qu'est-ce que tu essayes de comprendre?

JACQUES HURY. — Aubaine. Cette enfant malade et qui allait mourir. Et un beau jour, je rentre, et on me dit que tu t'es sauvée avec elle comme une folle.

C'était le temps de Noël. Et le jour des Innocents, la voilà qui revient avec l'enfant. Guérie! Guérie. Elle était guérie.

MARA. — C'est un miracle.

JACQUES HURY. — Oui. Tantôt c'est la Sainte Vierge, si on te croyait, et tantôt c'est je ne sais quelle âme sainte quelque part qui a fait le miracle.

MARA — Ni l'un ni l'autre. C'est moi qui ai fait le miracle.

(En sursaut)

Écoute!

(Ils prêtent l'oreille)

JACQUES HURY. — Je n'entends rien.

MARA, *frissonnante*. — Ferme cette porte. C'est gênant!

(Il pousse la porte)

JACQUES HURY. — Ce qu'il y a de sûr est que la figure maintenant ne ressemble pas la même.

La même bien sûr et pas la même. Les yeux par exemple, c'est changé.

MARA. — Dis, mon malin, tu as remarqué cela tout seul?

Voilà ce qui arrive quand le Bon Dieu se mêle de nos affaires.

Et toi, mêle-toi des tiennes!

(Violemment)

Et qu'est-ce qu'il a donc à regarder tout le temps c'te porte?

JACQUES HURY. — C'est toi qui ne cesses pas de l'écouter.

MARA. — J'attends.

JACQUES HURY. — J'attends qui? j'attends quoi?

MARA. — J'attends mon père!

Mon père, Anne Vercors, qui est parti, il y a sept ans!

Ma parole, je crois qu'il l'a déjà oublié!

Ce vieux bonhomme, tu te rappelles? Anne Vercors qu'on l'appelait.

Tout de même, le maître de Combernon, ça n'a pas toujours été Jacques Hury.

JACQUES HURY. — Bien! S'il revient, il retrouvera les terres en bon état.

MARA. — Et la maison de même. Sept ans déjà qu'il est parti.

(A voix basse)

Je l'entends qui revient.

JACQUES HURY. — On ne revient pas beaucoup de Terre sainte.

MARA. — Et s'il était vivant, depuis sept ans il aurait trouvé moyen de nous donner de ses nouvelles.

JACQUES HURY. — C'est loin, la Terre sainte, faut passer la mer.

MARA. — Il y a les pirates, il y a les Turcs, il y a les accidents, il y a la maladie, il y a les mauvaises gens.

JACQUES HURY. — Même ici on n'entend parler que de malfaisance.

MARA. — Cette femme par exemple qu'on me dit qu'on vient de la retrouver au fond d'un trou à sable.

JACQUES HURY. — Quelle femme?

MARA. — Là-bas. Une lépreuse qu'on dit.

Peut-être c'est-i que c'est qu'elle y est tombée toute seule.

Qu'est-ce qu'elle faisait à se promener? Tant pis pour elle!

Et peut-être tout de même qu'on l'a poussée. Quelqu'un.

JACQUES HURY. — Une lépreuse?

MARA. — Ah! ah! cela te fait dresser l'oreille? Rien qu'une petite lèpre, on dit que ça fait mal aux yeux. Et quand on ne voit pas clair, faut pas se promener.

Et tout le monde, on n'aime pas ce voisinage-là, peut-être bien! Un accident est bientôt arrivé.

JACQUES HURY. — Tout de même, si le père revient, c'est pas sûr qu'il soit tellement contenté.

MARA. — Mara! qu'il dira tout de suite. C'est Mara qu'il aimait le mieux.

Quel bonheur de savoir que c'est elle à la fin qui a attrapé Monsieur Jacques!

Et qu'elle dort toutes les nuits à son côté comme une épée nue.

JACQUES HURY. — Et sa fille, sa petite fille, est-ce qu'il ne sera pas content de l'embrasser?

MARA. — « Quelle belle enfant! dira-t-il. Et quels jolis yeux bleus! Cela me rappelle quelque chose! »

JACQUES HURY, *comme s'il parlait à la place du père.* — « Et la mère, où est-elle? »

MARA, *avec une révérence.* — Pas ici pour le moment, Monseigneur! Dame, quand on va à Jérusalem, faut pas s'attendre à retrouver tout le monde! C'est long, sept ans!

C'est Mara maintenant qui occupe sa place au coin du feu.

JACQUES HURY, *comme précédemment.* — Bonjour, Mara!

MARA. — Bonjour, père!

(ANNE VERCORS pendant ce temps est entré par le côté de la scène et se trouve derrière eux. Il porte le corps de VIO-LAINE entre ses bras)

Bonjour, Jacques!

SCÈNE II

(ANNE VERCORS fait le tour de la table et va se placer derrière elle à la place où se trouve la cathèdre. Il les regarde l'un après l'autre)

Bonjour, Mara!

(Elle ne répond rien)

JACQUES HURY. — Père! quelle est cette chose dans votre manteau que vous nous apportez?

Et qu'est-ce que c'est que ce corps mort entre vos bras?

ANNE VERCORS. — Aide-moi à l'étendre tout du long sur cette table.

Doucement! doucement, mon petit!

(Ils étendent le corps sur la table et ANNE VERCORS le recouvre de son manteau)

La voilà! c'est elle! c'est la table où je vous ai rompu le pain à tous, le jour de mon départ.

Bonjour, Jacques! Bonjour, Mara! Tous deux
sont là à ma place et mon royaume en leur personne continue,

La terre sur qui d'un bout à l'autre, comme un
grand peuplier

Tantôt plus longue et tantôt se raccourcissant,
S'étend l'ombre d'Anne Vercors.

Et pour ce qui est de la mère, j'ai entendu,
Et je sais qu'elle m'attend en ce lieu où je ne
serai pas long à la rejoindre.

JACQUES HURY. — Père! Je vous demande
quelle est cette chose que vous nous avez apportée
entre les bras,

Et quel est ce corps mort qui se trouve là étendu
sur cette table?

ANNE VERCORS. — Non point mort, Jacques,
non point mort tout à fait. Ne vois-tu pas qu'elle
respire?

JACQUES HURY. — Père, qui est-ce?

ANNE VERCORS. — Quelque chose que j'ai
trouvé sur mon chemin hier dans un grand trou
à sable.

J'ai entendu cette voix qui m'appelait faiblement.

JACQUES HURY. — Une lépreuse, n'est-ce
pas?

ANNE VERCORS. — Une lépreuse. Qui te l'a
dit? Tu savais cela déjà? C'est Mara sans doute
qui te l'a dit.

JACQUES HURY. — Et pourrais-je vous demander pourquoi vous me rapportez dans cette honnête maison qui est la tienne, une lépreuse?

ANNE VERCORS. — Veux-tu nous mettre à la porte tous les deux?

C'est elle qui me l'a demandé, la bouche contre mon oreille,

De l'apporter ici. De la rapporter ici.

Elle peut parler encore. Mais hélas! que sont-ils devenus, ces beaux yeux de Violaine, mon enfant? Ils ne sont plus.

JACQUES HURY. — Et est-ce qu'elle entend ce que nous disons?

ANNE VERCORS. — Je ne sais. Elle demande la paix. Elle demande que tu ne sois plus en colère contre elle. Et Mara aussi, si elle est en colère,

(Il regarde VIOLAINE étendue)

Je demande pardon.

JACQUES HURY. — Je ne suis pas en colère.

ANNE VERCORS. — Ses yeux, pauvre enfant! elle n'a plus d'yeux! Mais le cœur bat encore.

Faiblement, faiblement!

Toute la nuit j'ai entendu le cœur de mon enfant qui battait contre le mien et elle essayait de me serrer fort contre elle,

Faiblement, faiblement!

Et le cœur de temps en temps s'arrêtait et puis il reprenait sa petite course blessée.

Pan, pan, pan! pan, pan, pan! Père! Père!

JACQUES HURY. — Et est-ce qu'elle vous a parlé de moi aussi?

ANNE VERCORS. — Oui, Jacques.

JACQUES HURY. — Et de cet autre aussi... Elle était ma fiancée!... je dis cet autre un matin de mai...

ANNE VERCORS. — De qui veux-tu parler?

JACQUES HURY. — Pierre de Craon! Ce ladre, ce mésel! ce voleur! Ce maçon, il y a sept ans, qui était venu pour ouvrir le flanc de Monsanvierge!

(Silence)

ANNE VERCORS. — Il n'y a pas eu de péché entre Violaine et Pierre.

JACQUES HURY. — Et que dites-vous de ce chaste baiser qu'elle a échangé avec lui un matin de mai?

(Silence)

(ANNE VERCORS fait lentement un signe négatif avec la tête.
JACQUES HURY va chercher MARA en la tirant par le poignet et il lui fait lever la main droite)

Un matin de mai! Mara jure qu'un matin de mai, s'étant levée de bonne heure;

Elle a vu cette Violaine ici présente qui baisait tendrement ce Pierre de Craon sur la bouche.

(Silence)

ANNE VERCORS. — Je dis non.

JACQUES HURY. — Et alors, votre Mara, elle a menti?

ANNE VERCORS. — Elle n'a pas menti.

JACQUES HURY. — Moi, moi, moi, son fiancé! elle n'avait jamais permis que je la touche!

ANNE VERCORS. — J'ai vu Pierre de Craon à Jérusalem. Il était guéri.

JACQUES HURY. — Guéri?

ANNE VERCORS. — Guéri. Et c'est pour cela précisément qu'il était allé là-bas en accomplissement de son vœu.

JACQUES HURY. — Il est guéri, et moi je suis damné!

ANNE VERCORS. — Et c'est pour te guérir aussi, Jacques mon enfant, que je suis venu t'apporter ces reliques vivantes.

JACQUES HURY. — Père! père! j'avais une enfant aussi qui était près de mourir,

Aubaine, qu'elle s'appelle,

Et voilà qu'elle a été guérie!

(Geste de ANNE VERCORS)

Grâce à Dieu!

JACQUES HURY. — Grâce à Dieu!

Mais cette bouche, cette bouche de votre fille, cette bouche que vous m'aviez donnée, cette fille que vous m'aviez donnée. Cette bouche, elle n'était pas à elle, elle est à moi! Je dis cette bouche et le souffle de vie qu'il y a entre les lèvres!

204

ANNE VERCORS. — La bouche de la femme, avant l'homme elle est à Dieu, qui au jour du baptême l'a salée de sel. Et c'est à Dieu seul qu'elle dit : Qu'Il me baise d'un baiser de Sa bouche!

JACQUES HURY. — Elle ne s'appartenait plus! Je lui avais donné mon anneau!

ANNE VERCORS. — Regarde-le qui brille à son doigt.

JACQUES HURY, stupéfait. — C'est vrai!

ANNE VERCORS. — C'est Pierre de Craon là-bas qui me l'a remis et je l'ai replacé au doigt de la donatrice.

JACQUES HURY. — Et le mien, n'est-ce pas c'est ce que vous pensez, il fait la paire avec celui de Mara!

ANNE VERCORS. — Respecte-le davantage.

JACQUES HURY. — Un matin de mai! Père! père! tout riait autour d'elle! Elle l'aimait, et je l'aimais. Tout était à elle et je lui avais tout donné!

ANNE VERCORS. — Jacques, mon enfant! écoute, comprends! C'était trop beau! ce n'était pas acceptable.

JACQUES HURY. — Que voulez-vous dire?

ANNE VERCORS. — Jacques, mon enfant! le même appel que le père a entendu, la fille aussi, elle lui a prêté l'oreille!

JACQUES HURY. — Quel appel?

ANNE VERCORS, *comme s'il récitait.* — *L'Ange de Dieu a annoncé à Marie et elle a conçu de l'Esprit-Saint.*

JACQUES HURY. — Qu'est-ce qu'elle a conçu?

ANNE VERCORS. — Toute la grande douleur de ce monde autour d'elle, et l'Église coupée en deux, et la France pour qui Jeanne a été brûlée vive elle l'a vue! Et c'est pourquoi elle a baisé ce lépreux, sur la bouche, sachant ce qu'elle faisait.

JACQUES HURY. — Une seconde! en une seconde elle a décidé cela?

ANNE VERCORS. — *Voici la servante du Seigneur.*

JACQUES HURY. — Elle a sauvé le monde et je suis perdu!

ANNE VERCORS. — Non Jacques n'est pas perdu, et Mara n'est pas perdue quand elle le voudrait, et Aubaine, elle est vivante!

Et rien n'est perdu, et la France n'est pas perdue, et voici que de la terre jusqu'au ciel bon gré mal gré

D'espérance et de bénédiction se lève une poussée irrésistible!

Le Pape est à Rome et le Roi est sur son trône.

Et moi, je m'étais scandalisé comme un Juif, parce que la face de l'Église est obscurcie, et parce qu'elle marche en chancelant son chemin dans l'abandon de tous les hommes.

Et j'ai voulu de nouveau me serrer contre le tombeau vide, mettre ma main dans le trou de la croix, comme cet apôtre dans celui des mains et des pieds et du cœur.

Mais ma petite fille Violaine a été plus sage!

Est-ce que le but de la vie est de vivre? est-ce que les pieds des enfants de Dieu sont attachés à cette terre misérable?

Il n'est pas de vivre, mais de mourir! et non point de charpenter la croix, mais d'y monter et de donner ce que nous avons en riant!

Là est la joie, là est la liberté, là la grâce, là la jeunesse éternelle! et vive Dieu si le sang du vieillard sur la nappe du sacrifice près de celui du jeune homme

Ne fait pas une tache aussi rouge, aussi fraîche que celui de l'agneau d'un seul an!

O Violaine! enfant de grâce! chair de ma chair! Aussi loin que le feu fumeux de la ferme l'est de l'étoile du matin,

Quand cette belle vierge sur le sein du soleil pose sa tête illuminée,

Puisse ton père tout en haut pour l'éternité te voir à cette place qui t'a été réservée!

Vive Dieu si où passe ce petit enfant le père ne passe pas aussi!

De quel prix est le monde auprès de la vie? et de quel prix la vie, sinon pour s'en servir et pour la donner?

Et pourquoi se tourmenter quand il est si simple d'obéir et que l'ordre est là?

C'est ainsi que Violaine toute prompte suit la main qui prend la sienne.

JACQUES HURY. — O Violaine! ô cruelle Violaine! désir de mon âme, tu m'as trahi!

O détestable jardin! ô amour inutile et méprisé, jardin à la male heure planté!

Douce Violaine! perfide Violaine! ô silence et profondeur de la femme!

Est-ce que tu ne me diras rien? Est-ce que tu ne me réponds pas? est-ce que tu continueras de te taire?

M'ayant trompé avec des paroles perfides,

M'ayant trompé avec ce sourire amer et charmant

Elle s'en va où je ne puis la suivre.

Et moi, avec ce trait empoisonné dans le flanc,

Il va falloir que je vive et continue!

(Bruits de la ferme qui se réveille)

> C'est l'alouette qui monte en haut
> Qui prie Dieu pour qu'i fasse beau!
> Pour son père et pour sa mère
> Et pour ses petits patriaux!

ANNE VERCORS. — Le jour se lève! J'entends la ferme qui se réveille et toute la cavalerie de ma terre dans son pesant harnachement quatre par quatre,

Ces lourds quadriges dont il est parlé dans la

Bible qui se préparent à l'évangile du soc et de la gerbe.

> *(Il va ouvrir à deux battants la grande porte. Le jour pénètre à flots dans la salle)*

JACQUES HURY. — Père, regardez! regardez cette terre qui est à vous et qui vous attendait, le sourire sur les lèvres!

Votre domaine, cet océan de sillons, jusques au bout de la France! Il n'a pas démérité entre mes mains!

La terre au moins, elle ne m'a pas trompé, et moi non plus, je ne l'ai pas trompée, cette terre fidèle, cette terre puissante! Il y a un homme à Combernon! La foi jurée, le mariage qu'il y a entre elle et moi, je l'ai respecté.

ANNE VERCORS. — Ce n'est plus le temps de la moisson, c'est celui des semailles. La terre assez longtemps nous a nourris, et moi, il est temps que je la nourrisse à mon tour

> *(Se retournant vers VIOLAINE)*

De ce grain inestimable.

JACQUES HURY, *se tordant les bras.* — Violaine, Violaine! m'entends-tu, Violaine?

MARA. *(Elle s'avance violemment.)* — Elle n'entend pas! Votre voix ne porte pas jusqu'à elle! Mais moi, je saurai me faire entendre.

> *(D'une voix basse et intense)*

14

Violaine! Violaine! je suis ta sœur! m'entends-tu, Violaine?

JACQUES HURY. — Sa main! J'ai vu cette main remuer!

MARA. — Ha ha ha! vous le voyez! elle entend! elle a entendu!

Cette voix, cette même voix de sa sœur qui un certain jour de Noël a fait force jusqu'au fond de ses entrailles!

JACQUES HURY. — Père, père! elle est folle! vous entendez ce qu'elle dit?

Ce miracle... cet enfant... je suis fou... elle est folle!

ANNE VERCORS. — Elle a dit vrai. Je sais tout.

MARA. — Non, non, non! je ne suis pas folle! Et elle, regardez! elle entend, elle sait, elle a compris!

Pan pan pan!...

Qu'est-ce qu'il disait, le père, tout à l'heure qu'est-ce qu'il dit, le premier coup de l'Angélus?

ANNE VERCORS. — *L'Ange de Dieu a annoncé à Marie et elle a conçu de l'Esprit-Saint.*

MARA. — Et qu'est-ce qu'il dit, le second coup?

ANNE VERCORS. — *Voici la servante du Seigneur, qu'il me soit fait suivant votre volonté.*

MARA. — Et qu'est-ce qu'il dit, le troisième coup?

ANNE VERCORS. — *Et le Verbe s'est fait chair et il a habité parmi nous.*

MARA. — Et le Verbe s'est fait chair et il a habité parmi nous!

Et le cri de Mara, et l'appel de Mara, et le rugissement de Mara, et lui aussi, il s'est fait chair au sein de cette horreur, au sein de cette ennemie, au sein de cette personne en ruine, au sein de cette abominable lépreuse!

Et cet enfant qu'elle m'avait pris,

Du fond de mes entrailles j'ai crié si fort qu'à la fin je le lui ai arraché, je l'ai arraché de cette tombe vivante,

Cet enfant à moi que j'ai enfanté et c'est elle qui l'a mis au monde.

JACQUES HURY. — C'est elle qui a fait cela?

MARA. — Tu sais tout! oui, cette nuit, la nuit de Noël!

Aubaine, je t'ai dit qu'elle était malade, ce n'était pas vrai, elle était morte! un petit corps glacé!

Et tu dis que c'est elle qui a fait cela? C'est Dieu, c'est Dieu qui a fait cela! tout de même j'ai été la plus forte! c'est Mara, c'est Mara qui a fait cela!

(JACQUES HURY pousse une espèce de cri, et, repoussant violemment MARA, il se jette aux pieds de VIOLAINE)

MARA. — Il se met à genoux! cette Violaine qui l'a trahi pour un lépreux,

(Et cette terre qui suffit à tout le monde, elle n'était pas bonne pour elle!)

Et cette parole qu'elle avait jurée, avec ses lèvres elle l'a mise entre les lèvres d'un lépreux...

JACQUES HURY. — Tais-toi!

MARA. — Violaine! c'est elle seule qu'il aime! C'est elle seule qu'ils aimaient tous!

C'est elle seule qu'ils aimaient tous! et voilà son père qui l'abandonne, et sa mère bien doucement qui la conseille, et son fiancé comme il a cru en elle!

Et c'était là tout leur amour. Le mien est d'une autre nature!

JACQUES HURY. — C'est vrai! Et je sais aussi que c'est toi qui as conduit Violaine jusqu'à ce trou de sable,

Une main par la main qui la tirait et l'autre qui la pousse.

MARA. — Il sait cela! rien ne lui échappe.

JACQUES HURY. — Ai-je dit vrai ou non?

MARA. — Et fallait-il que cet homme qui m'appartient et qui est à moi soit coupé en deux? une moitié ici et l'autre dans le bois de Chevoche?

Et fallait-il que mon enfant qui est à moi fût coupé en deux et qu'il eût deux mères? L'une pour le corps et l'autre pour son âme?

C'est moi! c'est moi qui ai fait cela!

(Sourdement et avec accablement, regardant ses mains)

C'est moi, c'est moi qui ai fait cela!

ANNE VERCORS. — Non, Mara, ce n'est pas toi, c'est un autre qui te possédait. Mara, mon enfant! tu souffres et je voudrais te consoler!

Il est revenu à la fin, il est à toi pour toujours ce père jadis que tu aimais!

Mara, Violaine! ô mes deux petites filles! ô mes deux petits enfants dans mes bras! Toutes les deux, je vous aimais et vos cœurs ensemble ne faisaient qu'un avec le mien.

MARA, *avec un cri déchirant.* — Père, père! mon enfant était mort et c'est elle qui l'a ressuscité!

VOIX D'ENFANT AU-DEHORS :

> Marguerite de Paris
> Prête-moi tes souliers gris
> Pour aller en paradis!
> Qu'i fait beau!
> Qu'i fait chaud!
> J'entends le petit oiseau
> Qui fait pi i i i!

(Au milieu de la chanson VIOLAINE élève lentement le bras et elle le laisse retomber à côté de JACQUES)

VIOLAINE. — Père, c'est joli, cette chanson, je la reconnais! c'est celle que nous chantions autrefois quand nous allions chercher des mûres le long des haies,

Nous deux Mara!

ANNE VERCORS. — Violaine, c'est Jacques qui est là tout près de toi.

VIOLAINE. — Est-ce qu'il est toujours en colère?

ANNE VERCORS. — Il n'est plus en colère.

VIOLAINE. *(Elle lui met la main sur la tête.)* — Bonjour, Jacques!

JACQUES HURY, *sourdement.* — O ma fiancée à travers les branches en fleurs, salut!

VIOLAINE. — Père, dites-lui que je l'aime.

ANNE VERCORS. — Et lui aussi, il n'a jamais cessé de t'aimer.

VIOLAINE. — Père, dites-lui que je l'aime!

ANNE VERCORS. — Écoute-le qui ne dit rien.

VIOLAINE. — Pierre de Craon...

ANNE VERCORS. — Pierre de Craon?

VIOLAINE. — Pierre de Craon, dites-lui que je l'aime. Ce baiser que je lui ai donné, il faut qu'il en fasse une église.

ANNE VERCORS. — Elle est commencée déjà.

VIOLAINE. — Et Mara, elle m'aime! Elle seule, c'est elle seule qui a cru en moi!

ANNE VERCORS. — Jacques, écoute bien!

VIOLAINE. — Cet enfant qu'elle m'a donné cet enfant qui m'est né entre les bras;

Ah grand Dieu, que c'était bon! ah que c'était doux! Mara! Ah comme elle a bien obéi, ah comme elle a bien fait tout ce qu'elle avait à faire!

Père! père! ah que c'est doux, ah que cela est terrible de mettre une âme au monde!

ANNE VERCORS. — Ce monde-ci, dis-tu, ou y en a-t-il un autre?

VIOLAINE. — Il y en a deux et je dis qu'il n'y en a qu'un et que c'est assez, et que la miséricorde de Dieu est immense!

JACQUES HURY. — Le bonheur est fini pour moi.

VIOLAINE. — Il est fini, qu'est-ce que ça fait?
On ne t'a point promis le bonheur, travaille, c'est tout ce qu'on te demande.
Interroge la vieille terre et toujours elle te répondra avec le pain et le vin.
Pour moi, j'en ai fini et je passe outre.
Dis, qu'est-ce qu'un jour loin de moi? Bientôt il sera passé.
Et alors quand ce sera ton tour et que tu verras la grande porte craquer et remuer,
C'est moi de l'autre côté qui suis après.

JACQUES HURY. — O ma fiancée à travers les branches en fleurs, salut!

VIOLAINE. — Tu te souviens?
Jacques! bonjour, Jacques!
— Et maintenant il faut m'emporter d'ici.

JACQUES HURY. — T'emporter?

VIOLAINE. — Ce n'est point ici la place d'une lépreuse pour y mourir.

Faites-moi porter dans cet abri que mon père avait construit pour les pauvres à la porte de Monsanvierge.

> *(JACQUES HURY fait le geste de l'emporter)*

Non pas vous, Jacques.

JACQUES HURY. — Eh quoi, pas même ce dernier devoir?

VIOLAINE. — C'est mon père que je veux. C'est entre les bras de mon père que je remets mon esprit.

> *(Silence. ANNE VERCORS prend le poignet de VIOLAINE et il compte lentement de la main gauche, les yeux baissés)*

VIOLAINE. — Jacques, tu es là encore?

JACQUES HURY. — Je suis là.

VIOLAINE. — Est-ce que l'année a été bonne et le blé bien beau?

JACQUES HURY. — Tant qu'on ne sait plus où le mettre.

VIOLAINE. — Ah!
Que c'est beau une grande moisson!...
Oui, même maintenant je me souviens et je trouve que c'est beau!

JACQUES HURY. — Oui, Violaine.

VIOLAINE. — Que c'est beau de vivre! *(avec une profonde ferveur)* et que la gloire de Dieu est immense!

JACQUES HURY. — Vis donc et reste avec nous.

VIOLAINE. *(Elle retombe sur sa couche.)* — Mais que c'est bon aussi

De mourir alors que c'est bien fini et que s'étend sur nous peu à peu

L'obscurcissement comme d'un ombrage très obscur.

(Silence)

ANNE VERCORS. — Elle ne dit plus un mot.

JACQUES HURY. — Prenez-la. Elle est à vous. Portez-la où elle a dit.

Pour moi elle ne veut point que je la touche. Doucement! bien doucement, je vous dis!

(ANNE VERCORS sort, emportant le corps, JACQUES HURY le suit des yeux)

L'ANGELUS (voix) :

1. *Pax pax pax*
2. *Pax pax pax*
3. *Père père père*

VOLÉE :

Gloria in excelsis Deo et in terra pax hominibus bonae voluntatis

Laetare

Lae ta re

Lae ta re!

(Pendant ce temps et tandis que JACQUES HURY regarde ANNE VERCORS qui

s'éloigne avec le corps de VIOLAINE, MARA s'avance, portant son enfant. JACQUES HURY se retourne lentement vers elle. MARA élève son enfant et fait avec lui le signe de la croix. JACQUES HURY tourne la tête un moment vers le chemin où ANNE VERCORS a disparu puis vers MARA. Tous deux se regardent longuement et profondément pendant qu'expirent les dernières notes de l'Angélus)

16 novembre 1938.

EXPLICIT

TABLE

Pages

Prologue

Sc III A I

Sc 3 A II

Sc 3 A III

S 5 A IV

ŒUVRES DE PAUL CLAUDEL

nrf

Poèmes.

CORONA BENIGNITATIS ANNI DEI.
CINQ GRANDES ODES.
LA MESSE LA-BAS.
LA LÉGENDE DE PRAKRITI.
POÈMES DE GUERRE.
FEUILLES DE SAINTS.
LA CANTATE A TROIS VOIX, *suivie de*
SOUS LE REMPART D'ATHÈNES et
de traductions diverses (Coventry

Patmore, Francis Thompson, Th.
Lowell Beddoes).
POÈMES ET PAROLES DURANT LA
GUERRE DE TRENTE ANS.
CENT PHRASES POUR ÉVENTAILS.
SAINT FRANÇOIS, *illustré par J.-M.
Sert.*
DODOITZU, *illustré par R. Harada.*

Théâtre.

L'ANNONCE FAITE A MARIE.
L'OTAGE.
LA JEUNE FILLE VIOLAINE *(première
version inédite de 1892).*
LE PÈRE HUMILIÉ.
LE PAIN DUR.
LES CHOÉPHORES. — LES EUMÉNIDES,
traduit du grec.
DEUX FARCES LYRIQUES : Protée. —
L'Ours et la Lune.
LE SOULIER DE SATIN ou LE PIRE
N'EST PAS TOUJOURS SUR.

LE LIVRE DE CHRISTOPHE COLOMB,
suivi de L'HOMME ET SON DÉSIR.
LA SAGESSE ou LA PARABOLE DU
FESTIN.
JEANNE D'ARC AU BUCHER.
L'HISTOIRE DE TOBIE ET DE SARA.
LE SOULIER DE SATIN, *édition abrégée
pour la scène.*
L'ANNONCE FAITE A MARIE, *édition
définitive pour la scène.*
PARTAGE DE MIDI.
PARTAGE DE MIDI, *nouvelle version
pour la scène.*

Prose.

POSITIONS ET PROPOSITIONS, I et II.
L'OISEAU NOIR DANS LE SOLEIL LE-
VANT.
CONVERSATIONS DANS LE LOIR-ET-
CHER.
FIGURES ET PARABOLES.
LES AVENTURES DE SOPHIE.
UN POÈTE REGARDE LA CROIX.
L'ÉPÉE ET LE MIROIR.
ÉCOUTE, MA FILLE.
TOI, QUI ES-TU ?
SEIGNEUR, APPRENEZ-NOUS A PRIER.
AINSI DONC ENCORE UNE FOIS.
CONTACTS ET CIRCONSTANCES.
DISCOURS ET REMERCIEMENTS.
L'ŒIL ÉCOUTE.

ACCOMPAGNEMENTS.
EMMAUS.
UNE VOIX SUR ISRAEL.
L'ÉVANGILE D'ISAIE.
LE LIVRE DE RUTH.
PAUL CLAUDEL INTERROGE L'APOCA-
LYPSE.
PAUL CLAUDEL INTERROGE LE CAN-
TIQUE DES CANTIQUES.
LE SYMBOLISME DE LA SALETTE.
PRÉSENCE ET PROPHÉTIE.
LA ROSE ET LE ROSAIRE.
TROIS FIGURES SAINTES.
INTRODUCTION A L'APOCALYPSE.
VISAGES RADIEUX.

MÉMOIRES IMPROVISÉS, *recueillis par Jean Amrouche.*
CONVERSATION SUR JEAN RACINE.

Morceaux choisis.

PAGES DE PROSE, *recueillies
et présentées par André Blanchet.*

LA PERLE NOIRE, *textes recueillis
et présentés par André Blanchet.*

JE CROIS EN DIEU, *textes recueillis et présentés par Agnès Du Sarment
Préface du R. P. Henri de Lubac S. J.*

CORRESPONDANCE
AVEC ANDRÉ GIDE (1899-1926)

CORRESPONDANCE
AVEC ANDRÉ SUARÈS (1904-1938)

Ces deux volumes avec préface et notes de Robert Mallet.

CORRESPONDANCE AVEC FRANCIS JAMMES et GABRIEL FRIZEAU (1897-1936)
AVEC DES LETTRES DE JACQUES RIVIÈRE. *Préface et notes d'André Blanchet.*

ŒUVRES COMPLÈTES : *Vingt et un volumes parus.*

THÉATRE, deux volumes *(Bibliothèque de la Pléiade).*
ŒUVRE POÉTIQUE, un volume *(Bibliothèque de la Pléiade).*

ACHEVÉ D'IMPRIMER
PAR L'IMPRIMERIE FLOCH
MAYENNE

(5693)

LE 24 JUIN 1963

N° d'éd. : 9655. Dép. lég. : 4ᵉ trim. 1929

Imprimé en France